SI HEI LWLI

TWILIGHT SONG

Si Hei Lwli
Twilight Song

Angharad Tomos

Cyfieithiad
Translated from the Welsh by

Elin ap Hywel

gomer

Argraffiad Cyntaf – 2004
First Impression – 2004

ISBN 1 84323 367 3

ⓑ Angharad Tomos ©
Cyfieithiad Saesneg/English translation: ⓑ Elin ap Hywel ©

Cyhoeddwyd *Si Hei Lwli* gan Angharad Tomos gyntaf gan Y Lolfa, 1991.
Si Hei Lwli by Angharad Tomos was first published by Y Lolfa, 1991.

Cyhoeddir y gyfrol hon gyda chymorth ariannol
Cyngor Llyfrau Cymru.

This volume is published with the financial support of
the Welsh Books Council.

Argraffwyd gan Wasg Gomer, Llandysul, Ceredigion SA44 4QL
Printed in Wales at Gomer Press, Llandysul, Ceredigion SA44 4QL

I'm rhieni,
Arial ac Eryl,
am ei gofal drosti.

To my parents,
Arial and Eryl,
for their care of her.

Rhagair

Daw cynnwrf y creu yn ôl i mi, ddeuddeng mlynedd yn ddiweddarach. Llenwi'r car a hwylio ymaith i Dir Na n-Og, heb y syniad lleiaf lle y byddwn yn byw am y tri mis nesaf. Dianc oeddwn i, camu o fyd gofynion dydd i ddydd i fyd hudol y creu, ac yr oeddwn yn lwcus ddychrynllyd yn cael y fath foethusrwydd.

Pentre bach, bach oedd o, ger Clonakilty, yn Swydd Cork. Fe'i dychmygaf fel y math o le y byddai cefnogwyr Michael Collins yn cael noddfa ynddo yn ystod y Rhyfel Cartref. Yn y tŷ bychan, 'Ard na Greine', yr eisteddais wrth y bwrdd a dechrau cyfansoddi. Mewn gwlad ddieithr, yng nghanol estroniaid y crewyd *Si Hei Lwli*. Efallai fod yn rhaid i awduron wrth y dieithrwch neu'r ddihangfa hon o bryd i'w gilydd i greu.

Ac eto, roeddwn angen cwmni pobl. Roeddwn eisiau dod allan o'r gell o bryd i'w gilydd i deimlo'r awel iach a'r haul ar fy nghroen (er mor brin oedd hwnnw ym mis Ionawr!) Roeddwn am ddianc o fyd atgofion am y meirw i fyd y byw. Y car oedd y cerbyd hudol i'm trosglwyddo rhwng y ddeufyd. Ac yn y modd hwn yr ymwthiodd i'r stori. Daeth sgerbwd y Chrysler Sunbeam yn fframwaith i'r nofel. Wrth i mi dreiddio i gymeriad ac ymennydd hen wreigen Naw Deg Rwbath, roedd treialon real iawn y TCC 569T yn cadw fy nhraed ar y ddaear. Canfûm fy hunan yn athronyddu am freuder bywyd a chrwydradau dirgel y meddwl yn y boreau, ac yn y p'nawn yn stwna mewn garej yn disgwyl i Wyddel trugarog drwsio teiar. Does unman fel garej i sylweddoli fod yn rhaid wrth bethau fel olwynion a sgriws i'r byd fynd rhagddo.

Cefais ymateb rhyfeddol i'r nofel. Merched sy'n ymateb iddi yn fwy na dynion. Cyffwrdd yn ysgafn ddaru mi â'r thema o orfod gofalu adref am aelod o'r teulu sy'n wael neu'n heneiddio. Agorodd lif-ddorau. Mae gan gannoedd o wragedd brofiad helaeth o'r math hwn o weini, ddydd ar ôl dydd, nos ar ôl nos. Ac am eu bod yn gwasanaethu mor dawel, mae'r byd yn tueddu i'w anghofio. Cyflwynaf y llyfr hwn iddynt hwy, ac i'r rebels Naw Deg Rwbath fyddai'n rhoi'r byd am fod yn rhydd o'u cur ac am beidio bod yn faich ar neb.

Angharad Tomos

Preface

Bigw lived with us for a while. Then she was taken to a Home, and then she died.

I remember talking about her with a friend who replied, 'That would actually make a good novel'. I didn't think so at the time. Hers was an uneventful life.

When the competition for the 1991 National Eisteddfod Prose Medal was announced, the title of the novel was 'The Journey', and I knew that the time had come. Bigw had died the previous year, and had had an unmemorable funeral. She deserved a better send off, and I also wanted to pay homage to her in some way and this is how this book came about.

I was reminded of a journey that I made with her once. I kidnapped her from the Home one afternoon and offered her a trip. The choice was hers and the sun was inviting. 'What I would really like' she said after a long pause, 'would be to visit my sister's grave for the last time.' This book describes that last journey.

I did not have much time. The closing day for the competition was in two months. All I had was the title – *Si Hei Lwli*, a phrase of no meaning except that they are the first words of a Welsh lullaby, describing a ship that goes away. For two months, and over Christmas, I became a hermit in the West of Ireland, in County Cork. I took with me letters, photos and all kind of artefacts to refresh the memory. I needed none of them. Once I started writing, the memories kept flooding back. I hope the book is a celebration of an ordinary life.

I wish to thank Mrs O'Sullivan for providing me with a roof above my head while I stayed in Ballygurteen, and for the company of Trish and her dog Clover as next door neighbours, and for the good-hearted mechanic who frequently tended my aging car. I dedicate the book to my parents.

It is women mostly who have welcomed the book. I became aware that there was a quiet army of women carers all over the country dedicating their lives to serve loved ones. This novel is also dedicated to them. I hope Bigw does not mind too much that I shared her life with others.

Angharad Tomos

1

Mae'r nodwydd wedi mynd heibio chwe deg . . . saith deg . . . saith deg pump . . . wyth deg . . . Mae'r byd yn rhuthro heibio ar gyflymder o wyth deg pum milltir yr awr. Mae'r haul yn boeth, mae'n haf, ac rydyn ni'n dwy allan i fwynhau ein hunain. Wrth fy ochr, teimlaf wres corff Bigw, ei gwallt gwinau yn llifo'n donnau dros ei 'sgwyddau, ei chorff ifanc fel f'un innau yn eiddgar am gynnwrf, am syndod, am wefr yr annisgwyl.

Penrhyddid cyflymder – does dim byd tebyg iddo fo. Rydw i'n credu fod dyn yn cael ei eni ddwywaith. Un waith pan ddaw o allan o groth ei fam, a'r eilwaith pan mae o'n pasio ei brawf gyrru. Daw profiadau cyffredin o ddydd i ddydd ar gyflymder cyffredin. Daw'r profiadau eithaf ar y cyflymder eithaf.

Whî! Dyma'r bywyd! Gyda'r miwsig yn llenwi 'nghlustiau, mae'r cyfan yn cyrraedd crescendo hyfryd wrth i'r ffordd ymagor o'm blaen.

Rhydd wyf . . .

Dwi'n gwybod mod i'n anghyfrifol tu ôl i olwyn, ond does gen i ddim help. Y funud yr ydw i'n camu i mewn i'r peiriant 'ma, rydw i'n berson gwahanol – mae yna weddnewidiad llwyr yn digwydd. Wrth deithio ar y fath gyflymder, does dim disgwyl i'r ymennydd aros yr un fath. Na – mae hwnnw hefyd yn rasio'n wyllt i gadw'r un cyflymder â'r un y mae'r corff yn teithio arno.

'Tro'r ochr arall, Bigw.'

'Rydw i isio clywed rhywbeth gwahanol.'

Iawn gen i, cyn belled a'i fod o'n sŵn. Sŵn uchel sy'n llenwi fy mhen a delweddau gwallgo. Sŵn swnllyd sy'n cau fy nghlustiau fel nad oes lle i ddim arall. Mynd, mynd, mynd.

Ifanc wyf . . .

'Siocled?' 'Grêt.'

Mae Bigw'n agor y papur arian ac yn estyn y siocled. Teimlaf gyffyrddiad ei bysedd â 'ngwefusau wrth iddi 'mwydo i.

Peth cynnes ydi ffrindiau. Mor gynnes â siocled tawdd yn llifo i lawr eich gwddf . . .

'Gwylia!'

1

The needle's passing sixty . . . seventy . . . seventy-five . . . eighty . . .
The world is rushing by at eighty-five miles an hour. The sun is hot,
it's summer, and we're both out to enjoy ourselves. By my side, I
feel the warmth of Bigw's body, her chestnut hair flowing in waves
over her shoulders, her body, young like mine, on fire for
excitement, for surprise, for the thrill of the unexpected.

The sheer freedom of speed – there's nothing like it. I believe
people are born twice. Firstly when they slip from their mother's
womb, and secondly when they pass their driving test. Ordinary,
everyday experiences happen at an ordinary speed. The most
extreme experiences come at you at extreme speed.

Wheee! This is the life! The music filling my ears, it all reaches
a fantastic crescendo as the road opens out in front of me.

I'm free . . .

I know I'm reckless behind the wheel, but I can't help it. The
minute I step into this machine, I'm a different person – it's a
transformation, body and soul. If you travel at speeds like this, you
can't expect your brain to stay the same. No – that's racing wildly
too, trying to keep up with the body.

'Turn it over, Bigw.'

'I want to listen to something else.'

I don't mind, as long as it's sound, a sound loud enough to fill
my head with crazy images. Noisy noise that stops my ears so
there's no room for anything else. Going, going, gone.

Now as I was young and easy . . .

'Chocolate?

'Great.'

Bigw tears open the silver paper and hands me the chocolate. I
feel the touch of her fingers on my lips as she feeds me.

Friends give you a warm feeling, as warm as melting chocolate
slipping down your throat . . .

'Watch out!'

. . . Mi oedd honno'n un agos. Doeddwn i ddim yn edrych wrth gwrs. 'Ron i rhy brysur yn mwynhau'r siocled a 'meddwl i ymhell bell i ffwrdd. Ddylwn i ddim fod wedi goddiweddyd.

'Ti'm yn gall.'

'Mae hynny'n gwneud dwy ohono ni.'

Ac rydyn ni'n chwerthin yn ddrwg.

Rydyn ni'n mwynhau bod yn ddrwg. Dyna ein hawl. Mae gen i hawl i basio pob car ar y ffordd. Fi ydi'r gorau. Fy nghar i ydi'r cyflymaf. Dim ond gwireddu pob hysbyseb a welais ar y sgrîn yr ydw i. Dydi'r un person smart yn cael ei bortreadu yn araf ddiflasu tu ôl i gar arall nac ydi? Wrth gwrs nac ydi o! Mae pob car smart ar ei ben ei hun ynghanol 'nunlle wedi goddiweddyd popeth o fewn golwg. Felly wish â fi!

'Ti isio dracht?'

Byw wyf . . .

. . . That was a close one. I wasn't looking, of course. I was too busy enjoying the chocolate with my mind far, far away. I shouldn't have been overtaking.

'You're crazy!'

'That makes two of us then.'

We laugh. Two bad girls together.

We enjoy being bad. It's our right. I've got a right to pass every car on the road. I'm the best. My car's the fastest. I'm only living every ad I've ever seen on the telly. You never see anybody cool crawling along behind another car, do you? Of course not! Every cool car is streets ahead of the others, away in the middle of nowhere, having overtaken everything else. So eat my dust!

'D'you want a sip?'

As I was green and carefree . . .

2

Doedd pethau ddim yn dda rhyngom. Hen g'nawes grintachlyd oedd hi – dyna fydda pawb yn ei ddweud. Mae'n rhaid 'mod i wedi synhwyro hynny yn blentyn. Yn ei thŷ, a finnau 'mond yn bedair, trodd ataf a gofyn yn y ffordd anobeithiol honno oedd ganddi gyda phlant,

'A phryd ydych chi am ddod yma eto?'

Yn ôl y son, edrychais i fyw ei llygaid ac ateb gyda gonestrwydd plentyn,

'Pan 'da *chi* ddim yma.'

Rydw i'n credu i'r achlysur hwnnw effeithio rhyw gymaint ar ein perthynas. Efallai 'mod i wedi synhwyro 'radeg honno nad oedd pethau cystal pan oedd hi o gwmpas. Ei goddef yn hytrach na'i chroesawu fydda pobl. Doedd hi ddim hanner mor annwyl â'i chwaer, dyna fydden nhw'n ei ddweud.

Bai pwy ydi hynny? meddyliaf yn awr. Genir rhai pobl yn annwyl fel y genir rhai gyda llygaid glas neu lygaid brown. Dydi o ddim diolch i unrhyw ymdrech ar eu rhan hwy eu bod yn annwyl – rhai felly ydyn nhw o ran anian. Mae'r un peth yn wir am bobl grintachlyd – nid unrhyw ymgais ar eu rhan hwy sy'n eu gwneud yn grintachlyd. Dyna'r anian a roddwyd iddynt. Ac eto, fe'i beiwn yn ddigywilydd.

Heblaw am bobl grintachlyd a sych, fyddai anwyldeb neu degwch cymeriad ddim yn rhinwedd. Petai pawb yn annwyl, pwy fyddai'n sylwi arno? Onid rhywbeth cymharol yw ein natur ni i gyd? O ganlyniad, dylid talu teyrnged i'r crintachlyd. Nid yn unig maent yn mynd drwy'r byd yn cario baich eu hanniddigrwydd, maent hefyd ynghanol eu strach yn cario lantern i oleuo'r cyfiawn.

Ond wyddwn i ddim am hyn i gyd pan oeddwn i'n fach. Y cwbl a wyddwn i, fel pob plentyn, oedd fod pobl glen yn gwmni braf, a bod mwy i'w gael gan y rhain na chan bobl grintachlyd. Chwenychwn harddwch, caredigrwydd, a chynhesrwydd.

Tybed ydi hi'n cofio? Cofio'r myrdd atgofion sydd gen i? Go brin, a hyd yn oed os ydi, fedar hi ddim ei gofio gyda'r fath eglurder ag y medra i. Dydi ei meddwl hi yn ddim ond set radio o'i chymharu â'r teledu lliw sy'n eiddo i mi.

2

Things weren't that good between us. She was a stingy old cow – that's what everyone said. As a child I must have sensed that. Once, when I was at her house (I was only four), she turned to me and asked in that desperate way she had with children,

'And when are you coming here again?'

Apparently I looked her straight in the eye and answered, with the honesty of a child,

'When *you're* not here.'

I think that occasion must have affected our relationship. Perhaps I sensed then that things weren't as good when she was around. People tended to suffer, rather than welcome her. She was nowhere near as loveable as her sister, they said.

Whose fault was that, I wonder now. Some people are born loveable, just as some are born with blue eyes or brown. Not because of any effort on their part – they're like that by nature. The same is true of mean people – they're not particularly trying to be mean. It's the nature they've been given. And yet, shamelessly, we find fault with them.

If it weren't for stingy, charmless people, being loveable or good wouldn't be a virtue. If everyone was loveable, who'd notice? Aren't we all defined by comparison with others? So we should praise the stingy. Not only do they travel through life under the burden of their own discontent, but in the midst of their trouble they're carrying a lantern to light the just.

But I knew nothing of all this when I was little. All I knew, as every child knows, was that kind people were good company, that you got more out of them than mean people. I wanted beauty, kindness, warmth.

I wonder whether she remembers? Remembers the thousands of memories that I do? I doubt it, and even if she does she can't remember them as clearly as I do. Her mind is only a radio compared with the colour telly I've got.

Rydym yn symud ar gyflymder digon hamddenol o ryw ddeugain milltir yr awr, yn yr hanner gwyll anghyfforddus hwnnw rhwng dau olau. Efallai mai lliw digalon yr awyr barodd i mi gofio am ei hen dŷ. Tŷ tywyll a oedd wastad yn oer oedd o – mor oer â chwpwrdd rhew. Milltir oedd rhwng tŷ Nain a'i thŷ hi, ond fydda waeth iddynt fod ar ddau gyfandir am y tebygrwydd oedd rhyngddynt. Y daith o dŷ Nain i'w thŷ hi oedd y daith o oleuni i dywyllwch, O gynhesrwydd cyfandirol i dir yr esgimo. Wn i ddim pam ar y ddaear oedden ni'n mynd yno. Fel plant, fydden ni byth wedi mynd yno o'n gwirfodd. Doedd 'na ddim gemau i'w chwarae, dim sudd oren i'w yfed, dim byd i ryfeddu'r llygad nac i swyno'r glust. Lle od oedd o, a dyna fo. Mi fydda raid eistedd am oriau meithion ar ryw soffa bigog yn gwneud dim. Efallai mai dyna sut y cofiaf y tŷ cystal. Syllais gymaint ar ei du mewn nes iddo gael ei serio ar fy nghof.

''Da chi'n cofio'r gegin ryfedd 'na oedd gennych chi yn Gwynfa?'

'Mmmm.'

Tydi ddim i weld yn cofio. Ond mi rydw i.

Rhyw fath o ogof oedd hi. Adeiladwyd cefnau'r tai ar graig, a rhyw ymestyniad megis o'r graig oedd y gegin. Roedd gen i ofn y pethau dieithr oedd yn llechu yn y corneli, yr enwau na ddylid eu crybwyll, yr atgofion oedd wedi eu celu, y celwyddau na ddywedwyd mohonynt, cyfrinachau oesoedd a fu.

We're moving at an easy enough pace, about forty miles an hour, in that uneasy twilight between day and night. Perhaps it's the sad colour of the sky that made me remember her old house: a dark house that was always cold, cold as a fridge. It was only a mile from her house to my grandmother's, but they might as well have been on separate continents, they were so different. The journey from Nain's house to hers was the journey from light to darkness, from tropical warmth to eskimo land. I don't know why on earth we used to visit. We'd never have gone there of our own accord. There were no games to play, no orange juice to drink, nothing to draw the eye or delight the ear. It was an odd place, that was all. We had to sit for an eternity on a prickly sofa, doing nothing. Maybe that's why I remember the house so well. I stared at its interior so hard that it was seared into my memory.

'Do you remember that funny kitchen you had in Gwynfa?'

'Mmmm.'

She doesn't seem to remember. But I do.

It was a kind of cave. The backs of the houses were built right into rock, and the kitchen was like an extension of the rock. And I was scared of the strange things skulking in the corners, the names that must not be spoken, the memories that were hidden, the lies untold, the secrets of days long gone by.

3

Fydd hi ddim yma Dolig yma. 'Falle mai dyna pam rydw i wedi osgoi'r Ŵyl. Fydd o'r Dolig cynta hebddi. Dim ei cholli hi yn gymaint fydda i – dim ond gwaredu ei lle gwag hi. Mae presenoldeb absenoldeb yn gallu bod mor bwerus. Dwi ddim am weld y gadair wag yna. Un peth ydi siarad amdano, canu amdano, gweddïo yn ei gylch, barddoni, odli efo fo, sibrwd, cofio, ond mae eistedd yn syllu ar ei effaith yn ormod. Mae o fel eistedd mewn ciw deintydd yn aros eich tro, a hwnnw'n dod yn nes ac yn nes. Fedrwch chi smalio nad ydi o am ddigwydd i chi, ond fe wyddoch mai twyllo eich hun yr ydych. Yr hyn sy'n gwneud y peth yn fwy real ydi sedd wag y person olaf aeth i mewn, yn enwedig pan mai dim ond y chi sydd ar ôl.

Roedd hi'n druenus Dolig dwytha. Bu raid inni ddod â hi yn ei chadair olwyn at y bwrdd am ei bod hi'n methu cerdded. Roedden ni'n hanner ofni, petasen ni yn ei symud o'i chadair, y byddai hi yn dod yn rhydd oddi wrth ei gilydd i gyd. Bob bore Dolig, ers dechrau'r Cread, roedd fy Nhad a minnau wedi mynd i'w nôl hi. Byddem yn ei lapio a'i rhoi yn y car, ei thynnu allan ar gyfer Diwrnod Dolig, ac yna ei rhoi yn ôl. Felly roedd pethau wedi bod erioed. Dyna pam Dolig dwytha, er nad oedd hi'n gallu gweld/clywed/cerdded, prin yn gallu agor ei llygaid i weld nac agor ei cheg i fwyta, roedden ni'n dal i ddod â hi – i lenwi'r gadair. Y cwbl ddaru mi drwy'r cinio Dolig llynedd oedd syllu mewn rhyfeddod arni. Doedd hi ddim yn agor ei llygaid, dim ond yn gadael i'w bysedd chwilota o gwmpas y plât. Ac am fysedd, am ddwylo diwerth! Roedden nhw mor ddisymud â dwylo cerflun, wedi eu cloi yn yr un ystum ers tuag ugain mlynedd, ac mor oer! Roedd rhoi llwy yn ei llaw fel ceisio rhoi un yn llaw dol am hynny o ymateb a gaech. Mi fydda ei bwyd wastad yn syrthio oddi ar y llwy cyn cyrraedd ei cheg. Ac eto, mi fydda hi'n dyfalbarhau, fel ag i beidio teimlo allan ohoni, a'i cheg fel un dryw bach yn agor ac yn cau, yn y gobaith y byddai rhywbeth yn mynd drwyddo. Weithiau, llwyddai pysen neu ddarn o gig i lithro i mewn, ond i lawr ei ffedog hi fydda'r rhan fwyaf yn mynd. Mi fydda pryd bwyd yn gallu para dwy awr.

Ers talwm, roedd 'na hwyl i'w gael wrth ei gwylio. Roedden ni

3

She won't be here this Christmas. Maybe that's why I don't feel festive. It'll be the first Christmas without her. It isn't so much that I'll miss her – I'll just feel odd when I see her empty place. The presence of absence can be so powerful. I don't want to look at that empty chair. It's one thing to talk about it, sing about it, pray about it, write poetry, rhyme with it, whisper, remember, but sitting there staring at the result is too much. It's like sitting in the dentist's waiting room, as your turn gets closer and closer. You can pretend it's not going to happen to you, but you know you're fooling yourself. The empty seat left by the last person to go in only makes things more real. Especially when you're the only one left.

She was pathetic last Christmas. We had to bring her to the table in her wheelchair because she couldn't walk. We half-feared she'd fall apart completely if we moved her from her chair. Every Christmas morning since the dawn of time Dad and I had gone to fetch her. We'd wrap her up and put her in the car, pull her out for Christmas day, and then put her away. That was how things had always been. That was why, last Christmas, even though she couldn't see/hear/walk, could hardly open her eyes to see or open her mouth to eat, we still brought her – to fill the chair. I just stared at her in wonder all through last year's Christmas dinner. She didn't open her eyes, just let her fingers roam around the plate. What useless fingers and hands! So cold, locked in the same gesture for the past twenty years. They were as still as any statue's. I might as well have tried to put the spoon in a doll's hand for all the response I got. Her food would always drop off the spoon before it reached her mouth. And yet, she'd persevere, so as not to feel out of things, her mouth like a little wren's, opening and closing in the hope that something would go in. Sometimes, a pea or a piece of meat would manage to slip in, but most of it went down her pinafore. A meal could last two hours.

We used to have fun watching her when we were children. We

blant yn ddigon pell oddi wrth henaint i chwerthin am ei ben. Doedd hen bobl ddim yn ennyn tosturi, dim ond yn bethau digri. Ers talwm, roedd hithau hefyd ddigon o gwmpas ei phethau i wenu, neu chwerthin hyd yn oed ambell waith, ac fe fydden ni gyd yn chwerthin efo hi, neu ar ei phen. Bellach, roedd y sbort wedi hen fynd.

Fe fydda wastad yn falch o baned, ac arhoswn yn eiddgar iddi gyflawni'r gamp o roi siwgwr yn ei chwpan. Yn ddi-ffael, byddai'n llwyddo bob tro i godi'r siwgr o'r bowlen, ac yna, cyn sicred â dim, byddai yn ei arllwys yn union tu allan i'w chwpan. 'Dwy a dipyn bach' fydda hi'n licio yn ei the bob tro, a'r 'dipyn bach' yn unig fyddai'n canfod ei ffordd i'r gwpan. Roedd gweld y bysedd marmor yn gafael yn afrosgo yng nghlust y gwpan fel gwylio clown yn dal plât ar bolyn. Gyda'r gwpan mor gam nes ei bod bron â throi, fe'i codai i'w cheg i wlychu ei gwefusau crimp. Byddai wastad rhy boeth, ac yn llosgi, neu felly y tybiwn. Mae'n ddigon posib fod ei gwefusau lledr mor galed fel nad oedden nhw'n teimlo gwres. Ond rhaid bod synhwyrau ei thafod a'i chorn gwddw yn dal yn effro gan y câi gysur di-ben-draw o'i phaned. Mae gen i lun ohoni o Dolig dwytha, yn gwneud yr union weithred yma, a dyna lle mae hi efo'i chwpan gam. Hyd yn oed wrth edrych ar y llun rŵan, dwi'n dal fy ngwynt rhag ofn iddi wneud smonach ohoni.

Cafodd ei hesgusodi rhag dod eleni, a dwi'n siŵr ei bod hi'n andros o falch am hynny. Ni sy'n gorfod dioddef eleni, nid y hi. Beth fyddai'n digwydd eleni pe bawn i'n cychwyn ar fore Nadolig i'w nôl? I fyny Allt Penlan i'r fynwent, a'i chodi hi, asgwrn wrth asgwrn, o'r pridd? Ei lapio hi mewn siôl, a dod â hi adre? Fydda hi ddim cymaint â hynny'n oerach, a fasan ni'n dal i allu ei symud o gwmpas mewn cadair olwyn. Mi fyddai ei dwylo mor ddisymud â llynedd, beth yn foelach, beth yn blaenach. Beth fyddai wedi mynd? Dim ond yr holl hanfod a'i gwnâi yn Hi.

Oherwydd nid dod ag unrhyw hen wreigen adre dros Dolig yr oeddem, ond dod â Hi, a neb arall. Fasa neb arall wedi gwneud y tro. Hi ei hun yn unig efo holl hanes ein tylwyth a'n hil y tu mewn iddi, er ei fod mewn cymaint o lanast ynddi. Hi oedd ein gorffennol ni. Honno sydd wedi mynd yn awr, a waeth i'w ffrâm fod wedi ei gladdu mewn pridd neu wedi ei daflu i waelod y môr na'i fod yn un man arall. Efo'i hesgyrn, mi allen ni fod wedi gwneud rhywbeth defnyddiol – megis hors ddillad i sychu dillad o flaen y tân. Ond fydda hynny ddim wedi dod â hi'n ôl.

Dyna'r hyn sy'n fy rhyfeddu i nawr.

18

were far enough away from old age, then, to make fun of it. Old people weren't objects of pity, they were just funny. In those days, she still had enough of her marbles left to smile, or even laugh sometimes, and we'd all laugh with her, or at her. Now the fun had long gone.

She'd always be glad of a cup of tea, and I'd wait eagerly to see her manage the feat of spooning sugar into her cup. Every single time, she'd manage to spoon the sugar out of the bowl and then, sure as sure, she'd pour it just outside the cup. 'Two and a bit' was what she always liked in her tea, and only the 'bit' found its way into the cup. Seeing the marble-cold fingers clumsily grasping the cup handle was like watching a clown spinning a plate on a pole. The cup tilted so far that its contents almost spilt. She'd raise it to her mouth to moisten her parched lips. It would always be too hot, would always burn her, or so I thought. It's quite possible that her leathery lips were so hard that they couldn't feel heat. But she must still have been able to sense some things with her tongue and throat: her cup of tea gave her endless comfort. I've got a photo of her from last Christmas, doing exactly that. There she is with her tilting cup. Even as I look at the picture now, I'm holding my breath in case she makes a pig's ear of it.

She was excused from coming this year, and I bet she's glad of it. We're the ones who have to suffer this year, not her. What would happen this year if we turned out on Christmas morning to fetch her, up Penlan Hill to the graveyard, and raised her, bone by bone, from the ground? Wrapped her in a shawl, and brought her home? She wouldn't be that much colder, and we'd still be able to move her around in a wheelchair. Her hands would be as lifeless as last year, she'd be a little balder, a little plainer. What would have gone? Only the essence of what made her, Her.

Because it wasn't just any old lady we were bringing home for Christmas, but Her, and nobody else. Nobody else would have done. She, herself, only, with the whole history of our kin and lineage inside her, although it was such a mess. She was our past. That's what's gone now, and her body might as well be buried in the earth or thrown to the bottom of the sea as anywhere else. We could have made something useful out of her bones – a rack, perhaps, for drying clothes in front of the fire. But that wouldn't have brought her back.

That's what surprises me so much now.

4

Oel? – iawn. Dŵr? – iawn. Tymheredd – go lew. Rhaid gwneud yn siŵr na fydd o'n codi. Petrol – jest digon. Batri – iawn.

Dyna fo i gyd o flaen fy llygaid. Gyda dim ond un edrychiad, gallaf ddweud sut hwyliau sydd ar y car. 'Ron i'n arbennig o hoff ohono. Nid 'mod i'n un am roi enw ar gar neu siarad â fo na dim byd felly, ond roeddwn i'n teimlo yn agos iawn ato, a phan fyddwn i'n ei yrru, rhyw ymestyniad ohonof fi oedd o.

Roedd yn braf fod Bigw efo mi. Wel, heblaw amdani hi, faswn i ddim yn gwneud y daith o gwbl. Ond roedd yn gymaint gwell gen i deithio gyda rhywun arall. Nid nad oeddwn i'n fodlon ar fy nghwmni fy hun, ond roedd hwnnw'n gallu mynd yn undonog ar ôl dipyn. Mor undonog â cherddoriaeth casetiau. Roedd y radio yn well, ond cyfathrebu unochrog oedd hwnnw. Na, i wneud taith iawn, rhaid cael cydymaith.

A hi oedd fy nghydymaith i. Mi allwn i fod wedi cael un gwell o bosib, ond dydi rhywun ddim yn cael cymaint â hynny o ddewis mewn bywyd. Waeth i chi fodloni ar yr hyn ddaw i'ch rhan ddim. Roedd y ffaith fod yna gwlwm gwaed yna, er nad un uniongyrchol, yn gwneud gwahaniaeth, debyg. Fel rheol, mae perthnasau i fod i aros gyda'i gilydd mewn stormydd.

Chwaeth mewn cerddoriaeth fydda'r gwahaniaeth mwyaf rhyngom. Efallai nad yw hynny'n ymddangos yn faen tramgwydd mawr, ond mae o pan fo dau ohonoch mewn car. Yn enwedig pan mae un isio sŵn a'r llall ddim.

'Beth sydd o'i le efo distawrwydd?' gofynna.

'Dim,' fydda i'n ei ateb. Cyn belled â'i fod o'n ddistawrwydd ydw i wedi ddewis ei gael, ac nid yn un oherwydd mai chi sydd ei eisiau.

'Mae'r miwsig yma ddigon â mynd drwy ben rhywun.'

Dyna'i fwriad o, ddynas. Ond fedra i ddeall pam nad ydi o'n golygu fawr iddi hi. I mi, mae'r holl ganeuon 'ma yn gyfrolau o atgofion – miloedd ohonyn nhw, un ar ben y llall – o ddawnsfeydd, o gyfnodau, o'r ysgol, o'r coleg, o dymhorau, o fechgyn, o ferched, o berthynas, o ffraeo, o gymodi, o feddwi, o edifarhau, o deimladau driphlith draphlith. Iddi hi, dydi o'n ddim ond sŵn.

4

Oil? – fine. Water? – fine. Temperature – not bad. Must make sure it doesn't get any higher. Petrol – just enough. Battery – fine.

There it all is, in front of me. With just one look I can tell how the car's doing. I was very fond of it. Not that I'm the kind of person to give a car a name or talk to it or anything like that, but I felt close to it, and when I drove, it was a sort of extension of myself.

It was good having Bigw with me. Well, if it wasn't for her I wouldn't be making the journey at all. But I so much preferred travelling with somebody else. Not that I wasn't happy with my own company, but it got boring after a while. As boring as taped music. The radio was better, but that was only one-way. No, for a proper journey, you need a companion.

And she was my companion. I could have found a better one perhaps, but then you don't get that much choice in life. You might as well be satisfied with your lot. The blood tie, although it wasn't a direct one, probably made a difference. As a rule, relations are meant to stick together when the going gets tough.

Our taste in music would be the greatest difference between us. That might not seem like a major stumbling block, but when there are two of you in a car, believe me, it is. Especially when one wants noise and the other doesn't.

'What's wrong with silence?' she asks.

'Nothing,' I answer. As long as it's silence of my own choosing, not yours.

'This music would draw the blood from your ears.'

Well that's the point, woman. But I can understand why it doesn't mean much to her. To me, all these songs are albums full of memories – thousands of them, piled one on top of another – of dances, phases, school, college, seasons, boys, girls, relationships, quarrels, makings-up, getting drunk, regretting it, of feelings all mixed up together. To her, it's nothing but noise.

Ambell waith, mi ganfyddwn gyfaddawd. Fel rheol, efo tamaid o sŵn clasurol, tawel.

'Dwi'n licio hwn, pam na fedrwn ni gael rhywbeth fel hyn yn amlach?'

Am mai 'nghar i ydi o, a fi sy'n cael dewis. A dwi ddim yn gallu gwrando ar sŵn clasurol araf *drwy'r* amser.

Mae pob perthynas lwyddiannus yn ddibynnol ar y ffaith fod y rhai o'i mewn yn gwybod eu safle. Waeth pa mor gyfartal ydi perthynas, mae 'na wastad rai sy'n arwain a rhai sy'n dilyn; rhai sydd yn cymryd y penderfyniadau ac eraill sydd yn gwrando. Erys cydbwysedd cyn belled â'u bod yn glynu wrth y patrwm hwn. Yr adeg pan mae pethau yn mynd yn flêr ydi pan fo'r un sy'n dilyn yn cael digon ar ddilyn ac eisiau cael gwneud penderfyniad. Bryd hynny, mae'r patrwm wedi cael ei dorri, ac mae'n mynd yn smonach. Ni ellir adfer trefn nes bod pawb wedi canfod ei le drachefn. Weithiau, mae'r un sy'n dilyn yn canfod nad yw'n hoffi gwneud penderfyniad, ac mae'n dychwelyd i'w safle cychwynnol. Anaml y mae'r arweinydd yn ildio ei rym, os caiff ei herio; gwell ganddo symud ymlaen i berthynas newydd.

Yr hyn sy'n ddiddorol yw nad yr un rhai ydym ni bob amser. Gallwch fod yn arweinydd o fewn un berthynas, ac yn ddilynwr mewn perthynas arall. Natur y gweddill yn y berthynas sydd yn penderfynu eich safle chi. Dydi hyn byth yn rhywbeth a drafodir yn agored, ond mae o mor allweddol i'n ymwneud â'n gilydd. Mae o yno dan yr wyneb drwy'r amser ac mae'n effeithio ar bob dim a wneir.

Yr hyn oedd yn rhyfedd rhyngom ni ein dwy oedd nad oedd y patrwm hwn yn rhyw bendant iawn. Hi ddylai fod yn ben oherwydd ei hoed yn bennaf, ac oherwydd ei phrofiad a'i haeddfedrwydd. Ond ar y llaw arall, fi oedd gyrrwr y car, ac mae hynny wastad yn eich rhoi mewn sefyllfa o fantais. Yn ail, 'ron i'n fwy abl na hi. Mae 'na gyfnod yn dod mewn henaint lle rydych chi'n peidio â bod ag awdurdod oherwydd eich bod yn hen. Mae'r awdurdod hwnnw'n dirywio am fod y person yn mynd yn llai abl, ac felly'n fwy dibynnol ar eraill. Ac mae awdurdod yn beth anodd iawn i'w gadw pan ydych chi'n ddibynnol ar eraill.

Sometimes we'd find a compromise, with some quiet, classical piece as a rule.

'I like this, why can't we have something like this more often?'

Because it's my car, and I get to choose. And I can't listen to slow classical music *all* the time.

Every successful relationship depends on the people concerned knowing their place. There are people who lead, and people who follow; some who take decisions and others who listen. Everything's in balance as long as they stick to the pattern. Things get sticky when the follower gets bored with following and wants to make a decision. Then the pattern collapses, and it all goes to pot. You can't re-establish order until everyone's found his niche again. Sometimes the follower finds he doesn't like making decisions and goes back to his original position. It's not often that the leader, if challenged, gives up power; he'd rather move on to a new relationship.

What's interesting is that we're not always in the same position. You can be a leader in one relationship, a follower in another. It's the other person in the relationship who determines your position. We never discuss this kind of thing openly, but it's so central to the way we behave with each other. It's there, under the surface, all the time and it affects everything we do.

Oddly, in our case this pattern wasn't particularly definite. She should have been the leader, mainly because of her age, her maturity and experience. But on the other hand I was the driver, and that always puts you in a position of power. And what's more, I was more capable than she was. There comes a time in old age when you no longer have any authority. Your authority diminishes as you become less capable, more dependent on others. Authority's a very difficult thing to hang on to when you have to depend so much on other people.

5

Beic oedd gen i ers talwm, dim byd mawr o gwbl, Honda 50 c.c.
bach oedd o. Ond wna i byth anghofio'r wefr o'i yrru am y tro
cynta – dyna pryd y'm cyfareddwyd i gan gyflymder. 'Ron i fel
aderyn yn gadael ei nyth. Gwenaf wrth feddwl amdanaf fy hun ar
fy nhaith gyntaf. Dyna lle roeddwn i yn gyrru yn braf ar y beic pan
wawriodd arnaf nad oedd raid i mi fynd ar hyd y ffordd honno o
gwbl. Ar y bws yr oeddwn i wedi arfer dod y ffordd hon, am mai
dyma'r unig ffordd y gallai bysiau deithio arni. Ond bellach, 'ron i'n
gyfrifol am fy nhynged fy hun, ac mi fedrwn i fynd i'r fan a fynnwn
ar hyd unrhyw ffordd. Lwc i mi sylweddoli hynny'n fuan neu efallai
y byddwn yn dal i yrru o gwmpas yn meddwl mai bws oeddwn i.

Er mor gyfforddus ydi car, ac er na fyddwn i byth yn ei gyfnewid
yn awr, roedd gyrru ar feic yn dipyn mwy o wefr – hyd yn oed ar
dri deg milltir yr awr. Mae Pirsig yn ei gyfleu yn union pan mae
o'n cymharu gyrru car i edrych ar y byd drwy sgrîn deledu,
gwyliwr llonydd yn unig ydych chi. Ond ar gefn beic, rydych chi'n
rhan o'r llun ei hun, rydych chi *ynddo* fo, heb ddiogelwch ffrâm
o'ch cwmpas. Mi fedrwch chi deimlo'r gwynt yn chwythu eich pen
i ffwrdd ac mae'r ffordd oddi tanoch yn symud ar gyflymder mellten.
Dim ond gydag un cam gwag, mi fedrwch chi falu eich hun yn
erbyn wal. Hyd yn oed efo 50 c.c. mae o'n beth cwbl ffôl i'w wneud,
a dyna pam 'ron i yn ei hoffi. Mae 'na wefr iasol mewn perygl.

* * *

'Oes yna siawns y byddwn ni'n stopio yn fuan?'

'Os ydach chi isio. Awydd panad sydd arnoch chi?'

'Ia, mae 'nhafod i fatha corcyn.'

Ond does yna unman i gael paned am amser hir iawn, ac erbyn
inni gael lle, mae 'nhafod innau fel corcyn. Fydda i ddim yn stopio
bob tro mae hi isio un. Tydi ei chorff hi ddim mor dda â hynny am
ddal dŵr. Ond mi fydda i fy hun yn un reit arw am baned. Weithiau
mi gawn ni stops da, weithiau rai ddim cystal. Wnelo fo ddim cymaint
â hynny â'r caffi, yn gymaint a sut hwyliau fydd arnon ni'n dwy.

5

I used to have a bike, not a car; nothing great, a little Honda 50 c.c. But I'll never forget the thrill of riding it for the first time – that's when speed first enchanted me. I was like a bird flying the nest. I smile when I think about myself on my first journey. There I was, riding along happily on the bike, when it occurred to me that I didn't have to follow that route at all. I'd been used to travelling along that road on the bus, because it was the only way buses could go. But now my fate was in my own hands, and I could go wherever I liked, along any road. It's a good thing I realised this early on, or I might have carried on driving around thinking I was a bus.

However comfortable the car is, and though I'd never swap it now, riding a bike was much more of a thrill – even at thirty miles an hour. Pirsig expresses it exactly when he compares driving a car to looking at the world through a television screen; you're just an on-looker, a viewer. But on the back of a bike, you're part of the picture itself, you're there – right in it, without the safety of a frame around you. You can feel the wind blowing your head off and the road beneath you moves by, fast as lightning. One false move, and you could smash yourself to bits against a wall. Even with 50 c.c. it's a totally mad thing to do. That's why I liked it. Danger offers such a ravishing thrill.

*   *   *

'Is there any chance of us stopping soon?'
    'If you like. Do you fancy a cup of tea then?'
    'Yes, my tongue's as dry as a cork.'
    But there's nowhere to get a cup of tea for ages, and by the time we find somewhere my tongue's like a cork too. I won't stop *every* time she wants one. Her body isn't that good at holding it in. But I am rather fond of a cup of tea myself. Sometimes we have good stops, sometimes not so good. It's not so much to do with the café, more to do with how we're both feeling.

Heddiw, mae pethau'n go lew. Mae hi reit sgwrslyd, a dydi ddim ots gen i wrando arni. Weithiau mi fydd gen i ddigonedd i'w ddweud, ac mae ei chlyw hi reit dda. Nid nad oes yna fawr o'i le efo'i chlyw hi beth bynnag. Fel llawer o hen bobl, maen nhw'n clywed yr hyn maen nhw eisiau ei glywed yn iawn. Weithiau fydd gen yr un ohonon ni ddim i'w ddweud ac os ydyn ni'n bodloni ar gadw'n dawel, popeth yn iawn. Ond weithiau, mi siaradwn ni ddim ond er mwyn siarad, ddim ond er mwyn mynd ar nerfau ein gilydd, ac mae hynny'n wael. Wel, mae o'n wael os ydi un ohonon ni eisiau llonydd. Os ydyn ni'n dwy eisiau ffrae, dydi o ddim ots. Unwaith eto, y cydbwysedd sy'n bwysig.

Rhyw gaffi diddrwg didda oedd o, digon glân a neis, ond dim cymeriad ganddo. Byrddau a chadeiriau plastig, bwydlen gyffredin. Dim ond paned oedd arnon ni ei eisiau beth bynnag.

'Be gymrwch chi?'

Roedd y weinyddes wedi dod atom yn rhy fuan. Doedd Bigw ddim wedi gorffen tynnu ei chôt. Ddylai'r weinyddes weld hynny a dod yn ôl, ond y cwbl ddaru hi oedd sefyll yn fanno yn ddiamynedd.

'Wnaiff te y tro?' meddwn i.

Te fydda hi'n ei gymryd bob tro, ond mi fydda hi'n licio meddwl fod ganddi ddewis. Efo Bigw, roedd mynd i gaffi yn ddefod. Roeddech chi'n dewis eich sedd a thynnu eich côt, eistedd, a chael y fwydlen. Yna, byddech yn dewis beth fyddech chi'n ddymuno ei gael, ac yna'n ei archebu. Fyddech chi byth yn rhuthro'r ddefod. Tybed beth wnâi Bigw mewn Byrgyrbar?

'Te, Bigw?'

'Ia, ond heb fod yn rhy gryf.'

'Rydyn ni wedi gwneud cyflymder go lew heddiw.'

'Do, biti na fyddwn i'n gallu rhannu'r gyrru efo chi.'

'Dwi'n iawn, does dim isio i chi boeni.'

'Nid poeni yr ydw i. Dim ond meddwl ffasiwn hwyl fydda gyrru.'

'Fasach chi ddim ffit.'

'Roedd gen i gar ers talwm. "Ford" oedd o – un o'r rhai cynharaf.'

'Mi fydda fo werth prês heddiw.'

'Wn i ddim lle mae o bellach. Doedd gen fawr o bobl gar yr adeg honno, a fydda pobl ddim yn mynd mor sydyn â mae nhw heddiw . . . Mi fydda Pip yn cael dod efo mi.'

Pip oedd ei chi hi ers talwm. Fedra i ddim dychmygu Bigw tu ôl i olwyn car. Mi fyddwn i'n tybio ei bod hi'n berson llawer rhy nerfus, ond efallai ei bod hi'n hollol wahanol ers talwm. Cwbl sydd

Today, things aren't too bad. She's quite chatty, and I don't mind listening to her. Sometimes I have plenty to say, and her hearing's quite good. Not that there's anything much wrong with her hearing anyway. Like many old people, she can hear what she wants to hear perfectly well. Sometimes neither of us has much to say and if we're happy being quiet, then that's fine. But sometimes, we talk just for the sake of talking, just to get on each other's nerves, and that's bad. Well, it's bad if one of us wants peace and quiet. If we both want a fight, it doesn't matter. As I said, it's the balance that's important.

It was a take-it-or-leave-it kind of café – clean enough, nice enough, but no character. Plastic tables and chairs, ordinary menu. We only wanted a cup of tea anyway.

'What would you like?'

The waitress had come too soon to take our order. Bigw was still took off her coat. The waitress should have seen that and come back, but she just stood there impatiently.

'Will tea do?' I asked.

She always had tea, every time, but she liked to feel she had a choice. For Bigw, going to a café was a ritual. You chose your seat and took off your coat, sat down, looked at the menu. Then you chose what you wanted to eat or drink; then you ordered it. The ritual should never be rushed. I wonder what Bigw would have done in a burger bar?

'Tea, Bigw?'

'Yes, but not too strong.'

'We've made good time today.'

'We have. Pity I can't share the driving with you.'

'I'm fine, don't worry about me.'

'I'm not worried about you. I was just thinking what fun it would be to drive.'

'You'd never manage it.'

'I used to have a car once. It was a Ford – one of the earliest ones.'

'It'd be worth a lot today.'

'I've no idea where it is now. Not many people had a car in those days, and people didn't go as fast as they do now . . . Pip used to come with me.'

Pip was a dog she once had. I can't imagine Bigw behind the wheel of a car. I'd have thought she was much too nervous, but perhaps she used to be quite different in those days. The only

27

gen i ydi hen luniau melyn ohoni, ac yn y rheini dydi hi ddim yn edrych mor wahanol i fel mae hi rŵan. Rydw i'n siŵr fod gyrru'r ceir cynta rheini yn hwyl. Mi roedd pob dim yn fwy o hwyl ers talwm. Gas gen i bobl sydd yn dweud hynny.

Daw'r ferch â'r baned i ni, ac mae Bigw yn chwilota o gwmpas y gwpan nes mod i'n gofyn beth sy'n bod.

'On i'n meddwl 'mod i wedi gofyn am sgonsen.'

'Naddo, ddaru chi ddim. Dim ond paned yr un ddaru ni archebu.' Saib.

'Ydych chi eisiau sgonsen go iawn?'

Oedd, fe gara hi gael sgonsen. Pan ofynnwyd am un, doedd yna ddim un ar gael.

'Ers talwm, fyddech chi byth yn cael caffi heb *scones*. Os oedden nhw'n mynd yn brin, fyddech chi'n mynd i'r becws i nôl rhagor. Dwi'n cofio fel y bydda Tomi Becar yn cadw rhai yn arbennig ar gyfer Caffi Compton House . . .'

Iechyd, mae hon yn gallu mwydro. Weithiau, mi fydda ganddi straeon da, ond droeon eraill, roedd ganddi'r gallu anhygoel 'ma i fwydro am unrhyw beth dan haul.

'Fuo gennych chi erioed foto-beic, Bigw?'

A 'nhro i ydi hi rŵan i fwydro am foto-beics. Unrhyw beth i'w chael hi i stopio meddwl am sgons – tan mae'r bil yn cyrraedd. Bryd hynny, mae math gwahanol o ddefod yn dechrau. Mae'n cychwyn wrth iddi hi chwilota am ei bag. Mae hynny wastad yn arwydd drwg. Wedi iddi ddod o hyd iddo, mae hi'n chwilota drwyddo am ei phwrs. Pam ei bod mor anodd dod o hyd iddo mewn bag gwag, wn i ddim. Hances ac *eau-de-Cologne* a chrib ydi'r unig betha eraill mae hi'n ei gadw ynddo fo. Fy nhro i ydi hi i gymryd rhan wedyn.

'Mi dala i Bigw.'

'Na wnewch chi ddim, mae o gen i yn fan hyn . . .'

Tydi o byth yn fanna wrth gwrs, mae o'n rhywle arall ond ŵyr hi ddim ble. Mae'r cyfan yn troi yn embaras. Ŵyr y ferch ddim beth i'w wneud, ac os tala i bydd Bigw'n pwdu. Felly does dim i'w wneud ond disgwyl. Mae'n rhaid iddi hi gael talu am mai fi sy'n mynd â hi. Talu mewn caffis ydi ei ffordd hi o gael talu'n ôl. Mae hynny'n bwysig iawn. Mae o'n ei hesgusodi rhag bod yn gwbl ddiwerth ar y daith. Diolch byth, mae wedi dod o hyd iddo. Mae'r ferch yn edrych yn hyll arna i am adael i hen ddynes dalu drosof, ond fedra i wneud dim. Mae o fel y chwedl honno gan Aesop lle

28

pictures I have of her are faded yellow photographs, and in those she doesn't look very different from how she is today. I'm sure driving those first cars was fun. Everything was more fun once upon a time. I hate people who say that.

The girl brings us our tea and Bigw plays with her cup until I ask her what's wrong.

'I thought I asked for a scone.'

'No, you didn't. We only ordered a cup of tea each.'

Pause.

'Do you really want a scone?'

Yes she did, she'd like a scone. When we asked for one, they didn't have any.

'You never saw a café without scones in the old days. If they ran low, you'd go to the baker's to get more. I remember how Tommy the baker used to keep some specially for Compton House Café . . .'

Good God, this woman can ramble. She has some good stories sometimes, but other times she has this amazing ability to witter on about anything under the sun.

'Did you ever have a motor bike, Bigw?'

And now it's my turn to ramble on about motor bikes. Anything to get her to stop thinking about scones – until the bill arrives. Now a different kind of ritual begins. It starts with her fumbling around for her bag. This is always a bad sign. When she's found it, she ferrets around in it for her purse. Why it proves so difficult to find in an empty bag, I don't know. A handkerchief, a comb, *eau-de-cologne* are the only other things she keeps there. Then it's my turn to play.

'I'll pay, Bigw.'

'No you won't, I've got it here . . .'

She never does have it there, of course, it's somewhere else but she doesn't know where. The whole thing becomes embarrassing. The girl doesn't know what to do, and if I pay, Bigw will sulk. So there's nothing I can do but wait. She has to pay because I'm giving her the lift. Paying in cafés is her way of paying me back. That's very important. It saves her from being completely useless on the journey. Thank God, she's got hold of it at last. The girl looks at me with contempt for letting an old woman pay for me, but I can't do a thing. It's like that fable by Aesop where the father and son take it in turns to carry the ass. No matter what you do, there'll always be someone pointing a finger at you.

mae'r tad a'r mab yn cario'r asyn yn eu tro. Waeth beth wnewch chi, mi fydd yna ryw rai o hyd i bwyntio bys atoch chi.

Wrth inni fynd allan, mae 'na haid o blant ysgol yn dod i mewn, yn swnllyd a blêr ac yn boddi pawb a phopeth arall. Mae Bigw yn aros yn amyneddgar i rywun ddal y drws iddi. Does yna neb yn gwneud siŵr iawn, ac ar ôl iddyn nhw i gyd ddod i mewn, rydyn ni'n cael cyfle i fynd allan. Rwy'n gwybod beth sydd ar fin dod.

'Dydi plant ddim yn cael eu dysgu i fyhafio dyddiau yma.'

Tydw i ddim isio dechrau ar y drafodaeth yna, felly dwi'n ei helpu i'r car, cau ei strap, a chau fy ngheg.

As we leave, a flock of schoolchildren are coming in, noisy, untidy, drowning out everyone and everything else. Bigw waits patiently for someone to hold the door open for her. Nobody does of course, and after they've all come in we get a chance to leave. I know what's coming.

'Children aren't taught manners these days.'

I don't want to start on that one, so I help her to the car, fasten her seat belt, and shut my mouth.

6

Mae hi'n mynd i'w gilydd i gyd ac yn mynd yn bell, bell i ffwrdd. Ymhell, bell yn ôl. Mor wahanol oedd pethau pan oedd hi yn ferch ysgol. Y wisg ysgol berffaith, y ddisgyblaeth lem, yr hiraeth am gael bod adre. Gan fod yr arian ganddynt, dim ond ceisio gwneud eu gorau drosti oedd ei rhieni, ond teimlodd yn chwerw tuag atynt sawl tro am iddynt ei gyrru i'r fath le. Beth bynnag, doedd yr arian oedd gan ei thad hi, er ei fod yn gweithio mewn banc, yn ddim o'i gymharu ag arian tadau'r merched eraill oedd yn y 'Bowson Ladies' College'. Doedd hi erioed wedi profi israddoldeb o'r blaen. Roedd hi wedi arfer ennyn eiddigedd mewn plant eraill gan fod ganddi hi bopeth. Ond yma, roedd pethau'n wahanol. 'Os na allwch chi fforddio'r gorau o bopeth, ddylech chi ddim bod wedi cael eich anfon yma' – oedd eu hagwedd. Mabel oedd yr unig ffrind oedd ganddi yno, merch o Amwythig, ond o gefndir go wahanol.

Ymdrechodd Elisabeth, fel y gelwid hi yno, i wella ei Saesneg, a cheisiodd ymhob ffordd i wneud ei hun yn fwy derbyniol gan y gweddill, ond waeth pa mor galed yr ymdrechai, roedd hi'n wahanol. Ei Chymreictod a'i gwahanai. Nes mynd i'r coleg, ddaru hi ddim sylwi gymaint â hynny arno. Bellach, gwyddai mai dyma achos ei gwahanrwydd, ac o'r herwydd fe'i casâi. Fe'i magwyd mewn iaith wahanol, mewn diwylliant cwbl wahanol, mewn gwerthoedd hollol wahanol, mewn crefydd cwbl wahanol. Gan na wyddai hi ddim am eu pethau hwy, fe'i hystyriwyd yn anwybodus, ac yn 'ferch o'r wlad'. Roedd yn casáu'r ddelwedd. Roedd hi eisiau dweud wrthynt nad dyma'r fath o ferch oedd hi – y ferch swil, anghyfforddus a ymddangosai ger eu bron. Gallai fod yn sbort, yn hyderus, yn wybodus, yn ffraeth hyd yn oed, petaen nhw ond yn gallu ei hadnabod fel yr ydoedd gartref.

Ond y nhw a orchfygodd yn y diwedd. Does dim sy'n fwy pwerus na phobl ifanc gyda'i gilydd. Fe gollodd Lisi hynny o hunanhyder oedd ganddi, diffoddwyd ei sbarc, a datblygodd yn ferch chwerw, unig. Yn ôl y rhai hynny sy'n honni deall rhywbeth am seicoleg y natur ddynol, mae'n debyg y gellid bod wedi gwella'r natur yma yn Lisi Myfanwy, oni bai am un digwyddiad.

6

She folds in on herself and drifts a long way away. Way, way back. Things were so different when she was a schoolgirl. The perfect school uniform, the iron discipline, the longing to be at home. Her parents had the money. They were only trying to do their best for her, but she often felt bitter towards them for sending her to such a terrible place. Anyway, although he worked in a bank, the kind of money her father had was nothing compared to the fathers of the other girls at the Bowson Ladies' College. She'd never experienced inferiority before. She was used to being envied by other children because she had everything. But here, things were different. 'If you cannot afford the best of everything, you should never have been sent here' was their attitude. Her only friend was Mabel, a girl from Shrewsbury, and from a completely different background.

Elizabeth, as they called her there, worked hard to improve her English, trying in every way to make herself more acceptable to the others. But however hard she tried she was different. It was her Welshness that set her apart. Until then she hadn't noticed it that much. But now she knew that it was the cause of her separateness, and hated it accordingly. She had been brought up in a different language, in a completely different culture, with completely different values, and a completely different religion. As she knew nothing of their concerns, she was considered ignorant, a country bumpkin. She hated that image. She wanted to say that wasn't the kind of girl she really was – the shy, uncomfortable girl who stood before them. She could be fun, confident, knowledgeable, witty even, if they could only know her as she was at home.

But they won out in the end. Nothing is more powerful than young people together. Lisi lost the little self-confidence she had, her spark was extinguished, and she became a lonely, bitter girl. According to those with some understanding of human psychology, Lisi Myfanwy could probably have been cured of this tendency, if it hadn't been for one incident, an incident which affected her for

Digwyddiad a effeithiodd arni am weddill ei bywyd. Digwyddiad a barodd i hynny o ddiniweidrwydd oedd ynddi ddiflannu am byth.

Fel gyda digwyddiadau o'r fath, mae'r amgylchiadau yn fyw iawn yn ei chof – i'r manylyn eithaf. Roeddent wedi bod allan yn chwarae hoci, ac roeddent wedi mwynhau'r gêm. Cerddai Lisi yn ôl gyda Mabel ar hyd y llain gwyrdd o dir tuag at y coleg pan welodd Miss Harper yn dod tuag ati ar dipyn o frys. Cofiodd sylwi ar y pryd mor ddieithr oedd hyn, fyddai Miss Harper byth yn brysio fel rheol, ac roedd rhywbeth yn amlwg yn ei phryderu. Sylwodd Lisi yn sydyn mai arni hi yr edrychai'r athrawes.

'Miss Hughes . . .'

Beth oedd hi wedi ei wneud o'i le? Edrychodd Mabel arni, gwelodd fod y sefyllfa yn un annifyr, a gadawodd yn sydyn.

'Miss Hughes, ddowch chi efo mi i weld y Brifathrawes?' meddai yn Saesneg.

Roedd rhywbeth difrifol iawn wedi digwydd, roedd hynny'n amlwg, ac yr oedd hi, am ryw reswm abswrd, wedi cael ei dewis fel yr un gyfrifol. Beth ar y ddaear allai fod wedi digwydd? Gwaredai sefyllfa a fyddai'n dwyn gwarth arni. Beth a ddywedai ei rhieni? Beth fyddai'n digwydd iddi? Sut oedd y fath sefyllfa wedi codi? Sut yn y byd oedd hi am ddod allan ohoni? Dim ond ar achlysuron anghyffredin iawn y byddai rhywun yn mynd i ystafell y Brifathrawes – dim ond un waith oedd Lisi wedi bod yno o'r blaen.

Y funud y camodd i mewn i'r ystafell, gwyddai nad mynd i gael cerydd oedd hi. Cododd y Brifathrawes yn sydyn o'i chadair wrth ei gweld yn dod i mewn.

'Miss Hughes, *my dear*,' meddai, 'eisteddwch i lawr.'

Fferrodd ei chalon. Roedd rhywbeth gwaeth na cherydd ar fin dod.

'Ffoniodd eich tad . . . mae disgwyl i chi fynd adref yn syth . . . mae eich mam wedi . . . yn wael . . . yn ddifrifol wael . . .'

Am amser hir iawn a ymddangosai fel oes, arhosodd Lisi yn y gadair. Doedd hi ddim am symud oddi yno, am y rheswm syml na wyddai hi lle i fynd. Y funud y codai o'r sedd yna, byddai ei bywyd wedi newid. Roedd hi eisiau aros yno, eisiau aros wrth y tân cartrefol yma yn ystafell y Brifathrawes, eisiau aros yng nghlydwch cyfarwydd yr ysgol yn hytrach na wynebu dieithrwch adre.

'Rhaid i chi fynd adref, Elizabeth. Fe allwch chi gymryd tacsi i'r orsaf. Gwell fyddai i chi bacio ychydig o bethau i fynd gyda chi os ydych chi'n debyg o fod i ffwrdd am beth amser.'

the rest of her life, an incident which caused whatever innocence she retained to disappear for ever.

As usual with events of this kind, the circumstances are very much alive in her memory – alive to the last detail. They'd been out playing hockey, and had enjoyed the game. Lisi was walking back with Mabel along the green lawn towards college when she saw Miss Harper coming towards her at some speed. She remembered thinking at the time how strange this was; Miss Harper never hurried, and something was obviously worrying her. Lisi noticed suddenly that the teacher was looking straight at her.

'Miss Hughes . . .'

What had she done wrong? Mabel looked at her, saw that it was an awkward situation, and left abruptly.

'Miss Hughes, will you come with me to the Headmistress?' she said.

Something very serious had happened, that much was obvious and she, for some absurd reason, had been chosen as the scapegoat. What on earth could it be? She dreaded being shamed. What would her parents say? What would happen to her? How had such a thing come about? How on earth could she get out of it? Girls were summoned to the Headmistress's study only on very rare occasions – Lisi had been there only once before.

The moment she stepped into the room, she knew that she wasn't there to be scolded. The Headmistress rose quickly from her chair as she saw her entering the room.

'Miss Hughes, my dear,' she said. 'Please sit down.'

Her heart froze. Something worse than a row was about to happen.

'Your father telephoned . . . you must go home immediately . . . your mother has . . . is ill . . . is seriously ill . . .'

Lisi sat in the chair for a very long time. It seemed like an age. She didn't want to move, simply because she didn't know where to go. The minute she rose from that seat, her life would change. She wanted to stay there, to stay by this homely fire in the Headmistress's room, wanted to stay in the familiar cosiness of the school rather than facing the strangeness of home.

'You must go home, Elizabeth. You can take a taxi to the station. You'd better pack a few things to take with you if you're likely to be away for some time.'

Wrth edrych yn ôl, ni chofiai Lisi ddim am y daith adref yn y trên ar hyd yr arfordir. Roedd hi fel person mewn llesmair. Wyddai hi ddim a oedd yn well bod yn anwybodus. Ar un olwg, doedd dim wedi digwydd hyd yma, dim wedi newid. Efallai mai camddeall-twriaeth oedd y cyfan. Ac eto, drwy beidio â gwybod, drwy hanner gwybod a'r lled-awgrym, roedd ei dychymyg yn rasio yn gynt na'r trên. Roedd yn gwneud stomp llwyr o'i hemosiwn.

Beth ar wyneb y ddaear oedd wedi digwydd i'w mam? Yn ddifrifol wael . . . sut yn y byd? Roedd hi'n berffaith iach pan gafodd hi lythyr ganddi bythefnos yn ôl. Rhyw dipyn o ddannodd oedd yr unig beth a'i trafferthai. Doedd Lisi ddim wedi ei gweld ers chwe wythnos, ond doedd dim awgrym o salwch ar ei chyfyl. Doedd bosib ei bod yn wael. Beth bynnag, doedd y neges ddim yn gwneud synnwyr. Dim ond pobl sydd wedi bod yn sâl am beth amser sy'n ddifrifol wael . . . oni bai fod damwain wedi bod . . . a soniodd neb am ddamwain. Roedd y cyfan yn ddirgelwch hunllefus. Gobeithiai i'r nefoedd mai camddealltwriaeth ydoedd. Eto, gwyddai ym mêr ei hesgyrn nad ydi camddealltwriaeth yn digwydd mewn amgylchiadau o'r fath. Pobl sy'n cymryd arnynt fod camddeall-twriaeth er mwyn osgoi wynebu'r gwir – fel yr oedd hi yn ei wneud yn awr. Y gwir plaen oedd fod rhywbeth erchyll yn aros amdani. Gallai ei deimlo yn nyfnderoedd ei chalon. Daliodd ei hun i fod yn barod ar gyfer beth bynnag a ddoi.

Pan ddaeth oddi ar y trên, ni allai weld golwg o'i thad, na neb arall o'r teulu. Cymrodd hyn fel arwydd pellach fod camgymeriad wedi ei wneud. Roedd popeth arall mor normal! Ai dychmygu'r cyfan oedd hi? Roedd hyn fel bod mewn breuddwyd lle nad oedd disgwyl i ddigwyddiadau ddilyn ei gilydd yn rhesymol. Onid oedd yr ysgol wedi anfon neges i ddweud y byddai ar ei ffordd? Doedd hi erioed wedi cyrraedd yr orsaf o'r blaen heb fod rhywun yno i'w chyfarfod. Doedd bosib fod ei mam cynddrwg fel na allai ei thad ei gadael? . . . ac os mai dyna'r achos, lle oedd y lleill? Wyddai hi ddim beth i'w wneud. Mae'n rhaid fod hynny'n amlwg ar ei wyneb, gan i gyfaill i'w thad ddod ati.

'Ar goll, Miss Hughes?'

'Mr Pritchard – sut ydych chi? . . . Dydych chi ddim wedi digwydd gweld fy nhad, ydych chi?'

'Naddo, ydi o'n dod i'ch cyfarfod? Os ydi o, mi arhosaf amdano gyda chi.'

Safodd y ddau yn anghyfforddus am dipyn, yn aros.

Looking back, Lisi remembered nothing about the journey home along the coast. She was like someone in a trance. Perhaps it was better to be in ignorance. On the one hand, nothing had happened as yet, nothing had changed. Maybe everything was a misunderstanding. And yet, by not knowing, by half-knowing, because of the half-hint, her imagination was racing faster than the train. It put her emotions in a whirl.

What on earth had happened to her mother? Seriously ill . . . how on earth? She'd been perfectly all right when she had a letter from her a fortnight ago. A touch of toothache was the only thing troubling her. Lisi hadn't seen her for six weeks, but there had been no suggestion that she was poorly. She couldn't possibly be ill. And anyway, the message didn't make any sense. Only people who've been ill for some time are seriously ill . . . unless there'd been an accident . . . and no one had mentioned an accident. It was all a nightmarish mystery. She hoped to high heaven that it was a misunderstanding. And yet, she knew in her bones that misunderstandings didn't happen like this. People pretend there's been a misunderstanding to avoid facing the truth – as she was doing now. The plain truth was that something dreadful was waiting for her. She could feel it in the depths of her being. She held herself in readiness for whatever might come.

When she stepped down from the train, she could see no sign of her father, or any other member of the family. She took this as further proof that there'd been some mistake. Everything else was so normal! Was she imagining it all? This was like being in a dream where you didn't expect events to follow each other in a logical sequence. Hadn't the school sent a message to say she was on her way? She'd never arrived at the station before without someone there to meet her. Her mother couldn't possibly be so ill that her father was unable to leave her! And if that were the case, then where were the rest of the family? She didn't know what to do. It must have been written on her face, because one of her father's friends came up to her.

'Are you lost, Miss Hughes?'

'Mr Pritchard – how are you? You haven't seen my father, have you?'

'No, is he coming to meet you? If so, I'll wait for him with you.'

The two stood there uncomfortably for a while, waiting.

'Dydi o ddim fel petai o am ddod, Mr Pritchard. Mae'n ddrwg gen i . . . dydych chi ddim wedi clywed unrhyw newydd o adre ydych chi?'

'Miss Hughes, oes rhywbeth yn bod?'

Roedd yn rhaid iddi fynd adref. Roedd yn rhaid iddi gyrraedd adref yn syth. Yn y diwedd, cafodd Mr Pritchard afael ar dacsi ac fe'i cludwyd adref.

Talodd i ŵr y tacsi ac fe'i gadawyd ar y stryd.

Edrychodd ar adeilad mawr y banc, a'i chartref oedd ar yr ail lawr. Croesodd y ffordd. Agorodd y drws. Ble ar y ddaear oedden nhw? Fel un mewn breuddwyd, dringodd Lisi y grisiau. Roedden nhw'n risiau mawr, mawr, uchel yn ymestyn at y nefoedd. Cerddodd i fyny'r grisiau, ac roedd y byd yn arafu yn raddol, raddol. Roedd yn arafu wrth iddi ddringo'r grisiau anferth, a phan ddaeth i ben y grisiau, daeth y byd i stop. O'i blaen, yr oedd llofft ei mam. Rhaid oedd mynd i'r llofft. Rhaid oedd iddi gael gweld ei mam. Roedd ei mam yn wael. Yn dawel iawn, trodd ddwrn y drws, a'i agor. Yn y llofft, roedd y ffenest ar agor, ac awel gynnes Mehefin yn chwythu'r llenni yn ôl ac ymlaen. Roedd fel petai rhywun wedi dianc ar frys drwy'r ffenest.

Dyna lle'r oedd ei mam yn ei gwely. Roedd y stafell mor dawel. Aeth yn nes at y gwely ac edrych ar ben ei mam ar y clustog. Mor llethol o dawel oedd hi! Syllodd arni. Y wyneb cyfarwydd, a'i gwallt brith yn flêr ar y gobennydd. Mam . . . sibrydodd, Mam . . . Mor llonydd oedd. Roedd yn anarferol o lonydd a'i wyneb fel marmor. Gafaelodd Lisi yn llaw ei mam, roedd yn oerach nag y teimlodd hi erioed o'r blaen. Treiddiodd rhywbeth yn raddol iawn i'w chalon . . . Mam! MAM!!

Roedd y peth erchyll wedi digwydd. Roedd o'n llenwi'r stafell y funud hon. Fel ysbryd anweledig, roedd o'n dod tuag ati yn awr, yn lapio ei hun o gwmpas ei choesau, o amgylch ei chorff, yn ei gwasgu'n giaidd, yn sugno pob bywyd allan ohoni. Roedd yn cwmpasu ei hysgwyddau, ei gwddf, ei phen . . . Anadlai ei wynt cas i'w ffroenau ac i'w cheg gan ei mygu . . . ei mygu . . .

Disgynnodd Lisi yn glewt ar y llawr mewn llewyg.

Pan ddaeth Harri i fyny i'r cyntedd, roedd yr olygfa o'i flaen yn dweud y cyfan. Roedd drws y ffrynt yn agored led y pen, ac ar waelod y grisiau yr oedd bagiau ei chwaer. Pam nad oedd Meri wedi dod â hwy i'r parlwr? Lle'r oedd Meri? Lle'r oedd Lisi? Yn enw'r nefoedd: na! Doedd bosib! Doedd ei chwaer 'rioed wedi

'It doesn't look as if he's coming, Mr Pritchard. I'm sorry . . . you haven't heard any news from home, have you?'

'Miss Hughes, is something the matter?'

She had to go home. She had to go home immediately. In the end, Mr Pritchard summoned a taxi and she was driven home.

She paid the taxi driver and was set down in the street.

She looked at the big bank building, and her home on the second floor. She crossed the road. She opened the door. Where on earth were they? Like someone in a dream, Lisi climbed the stairs. They were huge, high stairs, stretching up to heaven. She walked up the stairs, and the world slowed gradually. She slowed as she climbed the enormous stairs, and when she came to the top of the stairs, the world came to a stop. In front of her was her mother's bedroom. She must go into the bedroom. She must see her mother. Her mother was ill. Very quietly, she turned the doorknob, opened the door. The window was open and the warm June breeze was blowing the curtains back and forth. It was as if somebody had left through the window in a hurry.

There was her mother in bed. The room was so quiet. She drew closer to the bed and looked at her mother's head on the pillow. She was so deadly quiet! She stared at her. The familiar face, its greying hair lying untidily on the pillow. 'Mam . . .' she whispered, 'Mam . . .' She was so still. Unusually still, her face like marble. Lisi took hold of her mother's hand; it was colder than she had ever felt it before. Something very gradually crept into her heart . . . 'Mam! MAM!'

The terrible thing had happened. It was filling the room at this very moment. Like a wraith, it was coming towards her now, wrapping itself around her legs, around her body, squeezing her cruelly, sucking all the life out of her. It wreathed itself around her shoulders, her neck, her head . . . It breathed its vile smell into her nostrils and her mouth and it was suffocating her . . . suffocating her . . .

Lisi fell to the floor in a dead faint.

When Harri came up to the hall, the scene before him told its own story. The front door was wide open, his sister's bags were at the foot of the stairs. Why had Meri not brought them into the parlour? Where was Meri? Where was Lisi? In the name of heaven, no! Surely! His sister surely had not gone up! With his heart in his mouth, he leapt up the stairs. Having reached the landing, he

mynd i fyny! A'i galon yn ei wddf, llamodd i fyny'r grisiau. Wedi cyrraedd y landing, sylwodd fod drws llofft ei fam ar agor. Drwy gil y drws, gwelodd ei chwaer yn un swp ar y llawr.

'Nhad! Meri! Nhad!'

Roedd pethau yn ddryswch gwyllt wedyn. Wyddai neb yn iawn beth oedd wedi digwydd. Roedd popeth wedi mynd o chwith. Beiai Mr Hughes ei hun. Beiai Harri ei hun. Daeth Meri y forwyn yn ôl o'r orsaf yn poeni'n fawr nad oedd Lisi wedi dal y trên. Pan welodd y bagiau ar waelod y grisiau, sylweddolodd fod Lisi eisoes adref. Oedd hi'n gwybod eto? Gwybod? Fe redodd yn syth i'r llofft! O Dduw mawr, oedd neb o gwmpas i fod gyda hi? Roedden ni yn y gegin yn eich disgwyl chi'n ôl. O, na! Ac mi redodd hi'n syth i'r llofft . . . ac roedd hi ar ei phen ei hun? O'r gr'adures fach, o mabi annwyl . . . Sut yn y byd y collais i hi? Roedd pawb yn beio ei hun. Roedd Hanna i fyny grisiau yn cysuro ei chwaer a oedd bellach yn ei gwely.

Chysgodd Lisi ddim am flynyddoedd wedyn. Byddai'n cau ei llygaid bob nos ac yn eu hagor bob bore, ond phrofodd hi ddim y cwsg dwfn hwnnw sy'n rhoi gorffwys i'r enaid. Byddai ganddi ofn y nos a'i dywyllwch, ofn ysbrydion, ofn breuddwydion. Y ddrychiolaeth fwyaf bob tro oedd wyneb llonydd ei mam ar y clustog gwyn, a'i llaw oer.

Aeth hi 'rioed yn ôl i'r coleg, ddim hyd yn oed i nôl ei phethau. Ychydig o eiddo oedd ganddi p'run bynnag – fe'u rhoddwyd mewn dau neu dri bocs a'u hanfon ar y trên. Roedd rhywun ar yr orsaf i gyfarfod y rheini. Derbyniodd lythyr byr o gydymdeimlad gan y Brifathrawes. Welodd hi mo'r coleg wedyn. Roedd ganddi ddyletswydd mewn bywyd bellach, rhaid oedd iddi aros gartref i ofalu am ei thad a Harri. Roedd Hanna wedi priodi ac wedi symud i fyw.

Damwain syml iawn oedd achos marwolaeth ei mam. Roedd ganddi ddannodd a oedd wedi rhoi pryder iddi ers tro; aeth at y deintydd a dywedodd hwnnw fod yn rhaid tynnu'r dant. Proses eitha didrafferth fel rheol. Rhoddwyd anasthetig i'r person, ac wedi iddo fynd i gysgu, fe dynnwyd y dant. Doedd pethau ddim mor rhwydd yn achos Mrs Hughes y Banc. Wnaeth ei chorff ddim ymateb yn iawn i'r cyffur. Effeithiodd yn ddrwg arni a bu'n ddifrifol wael. Roedd eraill yn amau'n gryf fod gwenwyn wedi mynd i'r gwaed. O fewn tridiau roedd wedi marw – anarferol iawn.

noticed that his mother's bedroom door was open. Through the half-open door, he could see his sister lying, unmoving, on the floor.

'Father! Meri! Father!'

Things after that were all confusion. Nobody knew for sure what had happened. Everything had gone wrong. Mr Hughes blamed himself. Harri blamed himself. Meri the maid came back from the station very much afraid that Lisi had not caught the train. When she saw the bags at the foot of the stairs, she realised that Lisi was already home. Did she know yet? Know? She'd run straight into the bedroom! Oh Lord above, was there nobody there with her? We were in the kitchen expecting you back. Oh no! And she ran straight into the bedroom . . . and she was by herself? Oh the poor thing, oh my dear child . . . How in the world did I miss her? Every one blamed himself. Hanna was upstairs comforting her sister who was by now in her bed.

For years afterwards, Lisi couldn't sleep . . . She would close her eyes each night and open them every morning, but she didn't taste that deep sleep that brings rest to the soul. She was frightened of the night and its darkness, frightened of ghosts, frightened of dreams. The greatest horror each time was the thought of her mother's still face on the white pillow, her cold hand.

She never went back to the college, not even to fetch her things. She had few enough possessions, anyway – what she had was put into two or three boxes and sent on by train. Someone went to the station to collect them. The headmistress sent a brief letter of condolence. She never saw the college again. She had a duty in life now; she must stay home and look after her father and Harri. Hanna had married and moved away.

Her mother's death had been a simple accident. She'd been troubled by toothache for some time; she went to the dentist, who said the tooth must be extracted, usually quite a straightforward procedure. An anaesthetic would be administered; and when she had fallen asleep, the tooth would be extracted. Things were not that simple for Mrs Hughes the Bank. Her body did not respond normally to the drug. It affected her badly and she became seriously ill. Others suspected that poison had entered her blood. Within three days she was dead – a very unusual case indeed.

7

Wyddwn i ddim am hyn o gwbl. Ddaru hi 'rioed ddweud wrtha i, nac wrth neb arall, hyd y gwn i. Clywed y stori gan Mam ddaru mi, a'i chlywed hi gan ei mam hi ddaru hithau. Tase hi 'mond wedi dweud, fydda pethau . . . fydda pethau beth? Fydda gen i fwy o biti drosti? Fyddwn i wedi deall yn well? – Wn i ddim. Tase hi wedi dweud, nid y hi fase hi.

'Ron i mewn hwyliau da heddiw. Roedd yr haul yn tywynnu, ac roedd hynny'n help i godi'r ysbryd. Yn hynny o beth, roedd Bigw a finnau'n debyg – roedd y tywydd yn effeithio'n arw arnom. Yn rhyfedd ddigon, roedd yna lawer mwy o debygrwydd yn aml rhwng Bigw a mi nag oedd yna rhyngof fi a Mam neu rhyngof fi a Nain. Mi fyddai'n llawer gwell gen i fod yn debycach i Nain wrth gwrs, ond fel y dywedais, tydi rhywun ddim yn cael dewis.

Ychydig iawn wn i am hanes Nain a'i chwaer heblaw am yr hyn mae Mam wedi ei ddweud wrtha i o dro i dro. Dydw i ddim yn un am hen hanes. Wn i ddim pwy sydd yn perthyn i bwy, na sut, na dim o'r coedwigoedd teuluol yna. Teulu i mi ydi'r bobl hynny rydych yn ymwneud â hwy o ddydd i ddydd, boed yna gysylltiad gwaed ai peidio. Mae o'n wirion fod pobl yn aros efo'i gilydd am fod y naill wedi dod o groth y llall, neu am eu bod wedi rhannu'r un groth, neu am fod un person wedi plannu had yng nghroth y llall. Dydi pobl sy'n perthyn drwy waed yn gwneud dim ond ffraeo yn aml iawn. Mae'n well gen i bobl sydd yn dewis bod yng nghwmni ei gilydd am eu bod yn mwynhau hynny a'u bod eisiau rhannu, dim mwy. Pan fo'r mwynhad hwnnw'n troi'n ddyletswydd, mae pethau'n chwerwi.

* * *

'Dwi ddim yn siŵr o'r ffordd, Bigw, bydd yn rhaid i mi stopio i sbio ar y map. Cadwch lygad am le i stopio.'

Mae Bigw yn codi ei phen.

'Fedrwch chi stopio yn fan hyn.'

'Na fedrwch Bigw, fanna fydda'r lle dwytha fydda neb yn stopio; mae'n rhaid cael *lay-by*.'

7

I knew nothing about it. She'd never told me, or anyone else, as far as I know. I heard it from my mother, and she heard it from her mother. If she'd only said, then things . . . things would be what? Would I have felt more pity for her? Would I have understood her better? I don't know. If she'd told me, she wouldn't have been who she was.

I was in a good mood today. The sun was shining, which always raises the spirits. In this respect, Bigw and I were alike – the weather had a great impact on us. Oddly enough, there was often much more similarity between Bigw and me than there was between me and Mam, or Nain and me. I'd far rather have been like Nain, of course, but as I said, you don't get a choice.

I know very little about Nain and her sister, apart from what Mam's told me from time to time. I don't like raking over what's dead and gone. I don't know who's related to whom, or how; I can't see the wood for the family tree. Family, to me, are the people you see from day to day, whether there's a blood relationship or not. It's ridiculous that people stay together because one came from the other's womb, or because they shared the same womb, or because one person planted a sperm in the other's womb. Often, blood relations do nothing but quarrel. I prefer people who choose to be in each other's company because they enjoy it and want to share it, and nothing more. When that pleasure becomes duty, things start to turn sour.

*   *   *

'I'm not sure of the way, Bigw, I'll have to stop to look at the map. Keep an eye open for a place to stop, will you.'

Bigw raises her head.

'You can stop here.'

'No we can't, Bigw, that's the last place anyone would stop – we need a lay-by.'

Ŵyr Bigw ddim beth ydi *lay-by*. Ŵyr hi ddim beth ydi lot o eiriau rydw i yn eu defnyddio. Nid mater o fethu clywed ydi o'n aml, ond mater o fethu deall. Mae gennym eiriau gwahanol am bethau, a phan mae gen i 'fynadd, rydw i'n canfod fy hun yn golygu fy sgwrs dim ond fel y gall hi fy nilyn – rhyfedd.

Mae o'n bechod na fasa Bigw yn gallu darllen map, mi fydda fo'n hwyluso pethau yn arw. Ond hyd yn oed tasa hi'n gweld y map, fydda hi'n methu gwneud pen na chynffon ohono fo. Rydyn ni'n dod o hyd i le ar ochr y ffordd, a rydw i'n stopio'r car. A dweud y gwir, does gen i ddim syniad lle ydw i. Er nad ydw i ymhell o adre, maen nhw wedi gwneud ffasiwn lanast o'r ffordd fel nad oes modd gwybod lle rydyn ni. Mae o'n union fel tasa rhywun wedi toddi yr holl ffyrdd rownd fan hyn yn llyn o daffi, ac yna wedi rhoi fforch ynddo, a'i godi fel mae un yn codi spaghetti. O ganlyniad, mae'r ffyrdd wedi caledu ar y ffurf yna yn awr, ac mae'r ffordd oedd unwaith yn syth ac yn mynd i rywle bellach yn glymau chwithig ac yn arwain i 'nunlle.

Mae Bigw yn gofyn yr union gwestiwn dwi ddim eisiau ei glywed.

'Lle rydan ni?'

'Dwi ddim yn gwybod, dyna pam dwi'n edrych ar y map.'

'Ydan ni ar goll?'

'Ydan.'

Ddylwn i ddim gwneud iddi boeni, ond ddyla hithau ddim busnesu chwaith.

'Mae hon yn edrych fatha'r Lôn Newydd i mi.'

Rydw i'n ei hanwybyddu.

'Y Lôn Newydd ydi hi?'

Dydi'r map o'm blaen ddim yn gwneud synnwyr. Be gythgam sydd eisiau newid ffordd drwy'r amser? Gwella ffyrdd, popeth yn iawn, ond does ganddyn nhw ddim hawl i newid tirwedd yn y modd yma fel nad ydi rhywun yn 'nabod ei ardal ei hun.

'Fedrwn ni ofyn i rywun?'

'Gewch chi drio . . . ar ffordd ddeuol efo'r rhan fwyaf yn teithio tua saith deg milltir yr awr, does gen i ddim ffansi trio.'

'Doeddwn i ddim yn meddwl fod y ffordd mor anodd a hynny i ddod o hyd iddi.'

Mae hon yn gwthio'i lwc . . .

'Dydi hi ddim, Bigw. Fi oedd yn meddwl gan ei bod hi'n ddiwrnod braf y basa ni'n gallu mynd ar hyd rhyw lôn wahanol.'

'O . . . hitiwch befo, 'chi . . .'

Bigw doesn't know what a lay-by is. She doesn't know what lots of the words I use mean. Often it's not her failing hearing, it's a failure of understanding. We have different words for things, and when I'm feeling patient, I find myself editing my conversation just so that she can follow me – bizarre.

It's a pity Bigw can't map-read, it would make things a lot easier. But even if she could see the map, she couldn't make head or tail of it. We find a place by the side of the road, and I stop the car. I have no idea at all where I am. Although I'm not far from home, they've made such a mess of the road that I haven't a clue where we are. It's as if someone had melted all the roads round here into a lake of toffee, and then put a fork in it, and picked it up as you do with spaghetti. The roads have set in that shape now, and the road that was once straight and went somewhere is now all knots and tangles, leading nowhere.

Bigw asks the very question I don't want to hear.

'Where are we?'

'I don't know, that's why I'm looking at the map.'

'Are we lost?'

'Yes.'

I shouldn't make her worry, but she shouldn't interfere either.

'This looks like the New Road to me.'

I ignore her.

'Is it the New Road?'

The map in front of me doesn't make sense. Why the hell do they want to go changing roads all the time? Road improvement, fair enough, but they've no right to change the landscape like this so a woman doesn't know her own patch.

'Can we ask somebody?'

'You can try . . . but on a dual carriageway with most people zooming past at about seventy miles an hour, I don't fancy trying, myself.'

'I didn't think the road was that difficult to find.'

She's pushing her luck now . . .

'It isn't, Bigw. It was just that I thought, as it was such a nice day we could go a different way.'

'Oh don't worry, I'm not bothered . . .'

Dydw i ddim yn ei wneud o er ei mwyn hi – ei wneud o er fy mwyn fy hun yr ydw i. Os oes ffordd ddifyr i'w dilyn, i be yr aiff rhywun ar hyd un ddiflas? Yn y diwedd, rydw i'n rhoi'r gorau i drio gwneud synnwyr o'r map, ac yn parhau ar y briffordd.

'Ydach chi'n gwybod lle rydach chi rŵan?'

'Ydw.'

Tawelwch.

'Fyddwn ni'n mynd drwy Penmeirch?'

'Na fyddwn.'

'Nac Isfryn chwaith?'

'Na fyddwn.'

Rydw i'n ildio.

'Os nad ydych chi eisiau mynd . . .'

'Mi faswn i yn licio mynd heibio Isfryn.'

'Radeg yna dwi'n ffrwydro.

'Iechyd! Pam na fasach chi'n deud ta? Rydach chi'n aros i mi gychwyn y car, mynd ymlaen ar y brif ffordd, a wedyn dweud eich bod chi isio mynd rhyw ffordd arall!'

Yn syth wedi i mi agor fy ngheg, rydw i'n difaru. Pam mae gwylltio efo hen bobl yn gwneud i rywun deimlo mor euog?

Ddim ar Bigw mae'r bai wrth gwrs. Mae o'n hollol naturiol ei bod hi eisiau gweld llefydd cyfarwydd. Dydi hi byth yn mynd allan. Waeth iddi wneud y gorau o'r trip yma ddim.

Na, gwylltio efo'r bobl sydd wedi malu'r lôn ydw i. Maen nhw'n adeiladu lôn anferth i bobl gael mynd o un lle i'r llall yn gynt. Ond yr unig bobl sydd eisiau mynd ar ei hyd yn gynt ydi pobl ddiarth – pobl nad ydi pentrefi ar y ffordd yn golygu dim iddyn nhw, pobl sydd wastad ar frys. Does yna neb maen nhw eisiau mynd heibio iddyn nhw ar y ffordd; dydyn nhw ddim yn adnabod neb. Maen nhw'n rhy brysur i nabod neb.

A tasen nhw yn 'nabod rhywun, mi fydden nhw'n rhy brysur i alw.

Felly ar gyfer y rhain, llawn gwell eu bod yn cael ffordd na fedrwch chi ddim dod oddi arni, hyd yn oed, nes eich bod wedi cyrraedd y pen arall. Ond am y bobl leol, mae eu holl hanes hwy yn henffurf y pentrefi hyn. Ar hyd yr oesoedd, anghenion a ffordd o fyw eu cyndeidiau sydd wedi gwneud yr ardal yma yr hyn ydyw. I rai mannau, mae yna arwyddocad arbennig. Mae yna gerrig a choed, ffyrdd a throadau sydd efo arwyddocâd gwahanol i bawb. Dyma eu cynefin – rhywbeth sy'n werthfawr iawn. Ac wele McAlpine a chefnaint o beiriannau yn rhuthro i mewn a'i falu'n

I'm not doing it for her – I'm doing it for myself. If there's an interesting way to go, why travel a boring one? In the end, I give up trying to make sense of the map, and carry on along the main road.

'Do you know where you are now?

'Yes.'

Silence.

'Will we be going through Penmeirch?'

'No.'

'Nor Isfryn either?'

'No.'

I give in.

'Unless you want to go . . .'

'I'd like to go past Isfryn.'

This is when I explode.

'Good heavens! Why didn't you say then? You wait for me to start the car, carry on on the main road, and then say you want to go a completely different way!'

As soon as I've opened my mouth, I regret it. Why does losing your temper with old people make you feel so guilty?

It's not Bigw's fault, of course. It's quite natural she should want to see familiar places. She never goes out. She might as well make the most of this trip.

No, I'm furious with the people who've broken up the road. They build a huge great road so that people can get from one place to the other more quickly. But the only people who want to get there faster are strangers – people who know and care nothing about the villages on the way, people who are always in a hurry. They don't want to drop in on anyone on the way; they don't know anybody. They're too busy to know anybody.

And if they did know someone, they'd be too busy to call.

It would be much better for them if you had a road you couldn't get off at all, ever, until you'd reached the other end. But for the local people, all their history is in the timeless shape of these villages. Through the ages, the needs and way of life of their forebears have made this area what it is. There's a special significance to some places. Stones and trees, roads and turnings mean different things to different people. This is their home ground and it's very, very precious. And then here comes McAlpine rushing in with a horde of diggers, ripping it to pieces. They pull down houses, change roads and paths. Grass disappears

racs. Tynnir tai i lawr, a newidir ffyrdd a llwybrau. Mae 'na wair yn diflannu dan darmac, stadau newydd yn codi fel madarch, ac mae'r lle wedi ei newid yn llwyr.

Rydw i'n troi oddi ar y briffordd.

'Ar ba lôn mae Isfryn?'

''Chydig is i lawr na thŷ Idwal Cemist.'

Rydw i'n rhoi cynnig arall arni.

'Ia, ond pa dŷ sydd ar y lôn bost wrth i chi ddod am y lôn yna – i mi gael gwybod lle i droi?'

'Tŷ yr Edwards's oedd yno, ond mae hwnnw wedi cael ei dynnu i lawr.'

'Oes yna rywbeth arall?'

'Post Bach.'

'Reit, well i ni ddod o hyd i hwnnw'n sydyn tra mae o'n dal i sefyll.'

Ac i ffwrdd â fi yn reit sydyn gan feddwl pwy oedd Idwal Cemist ac ym mha ganrif roedd o'n byw. Mae Bigw yn dal ei gafael ar ochr y drws fel mae'n gwneud pan dwi'n tueddu i ruthro.

'Pam ydych chi isio gweld Isfryn, Bigw?'

'Hitiwch befo os ydi o'n drafferth.'

'Pam ydach chi isio ei weld o?'

'Roedden ni'n arfer mynd yno ers talwm – Harri a fi – fydda Hanna ddim yn dod yno gymaint â hynny, am ryw reswm. Roedden ni'n cael hwyl yno.

'Fel plant?'

'Ac wedi inni dyfu hefyd. Roedd plant Isfryn tua'r un oed â ni, ac roeddem yn ffrindiau mawr. Yr oedd yna tua phump o blant i gyd.'

Rydw i'n arafu o flaen un tŷ, ond nid hwnnw ydi o, a dwi'n rhoi cynnig ar ddau neu dri arall cyn cael yr un iawn. Mae Bigw fel tase hi'n synnu na wn i pa un ydyw. Wedi inni ei gyrraedd, mae hi'n edrych ar y tŷ fel petai yn edrych ar un o ryfeddodau mawr y byd. Mwya sydyn, dwi'n penderfynu 'mod i eisiau mynd am dro, ac rydw i'n gadael Bigw yn y car i hel atgofion, gan ddweud 'mod i eisiau awyr iach.

Rydw i'n cerdded i lawr y ffordd am dipyn nes dod o hyd i droad yn y ffordd a lôn fechan yn arwain ohoni. Dilynaf honno. Mae'n braf cael dipyn o awyr iach, ac mae'n newid o awyrgylch y car. Mae'n dda cael llonydd am dipyn oddi wrth Bigw hefyd, mae hi'n mynd ar fy nerfau braidd. Mi fydd yn dda gen i gael y daith yma drosodd. Gymaint mwy o hwyl fasan ni'n ei gael tasa Bigw yr un

under tarmac, new estates mushroom, and the place has changed completely.

I turn off the main road.

'Which road is Isfryn on?'

'Just below Idwal the Chemist's house.'

I try again.

'Yes, but which house is on the main road as you go towards that road – so I know where to turn?'

'That's where the Edwards's house was, but that's been pulled down.'

'Is there anything else?'

'The little Post Office.'

'Right, we'd better find that while it's still standing.'

And off I go, like a bat out of hell, wondering who Idwal the Chemist was and in what century he lived. Bigw is clinging to the side door as she tends to do when I go too fast.

'Why do you want to see Isfryn, Bigw?'

'Don't worry if it's a nuisance.'

'Why do you want to see it?'

'We used to go there – Harri and me – Hanna didn't go as often as us, for some reason. We had fun there.'

'When you were children?'

'And after we'd grown up. The Isfryn chldren were about the same age as us, we were great friends. There must have been five of them altogether.'

I slow down in front of one house, but that's not the one, and I try another two or three before hitting the right one. Bigw seems surprised that I don't know which one it is. She looks at the house as if she's seeing one of the wonders of the world. I decide I want to go for a walk, and I leave Bigw in the car with her memories, saying that I want a breath of fresh air.

I walk down the road for a bit until I come to a turning in the road and a smaller road leading off it. I follow it. It's good to get some fresh air, and it's a change from the atmosphere in the car. It's good to get a rest from Bigw, too, she's getting on my nerves a bit. I'll be glad to get this journey over and done with. We'd have so much more fun if Bigw was the same age as me. We could talk about so many things – clothes we like wearing, music we've just discovered, memorable trips, bands, boys, babies,

oed a mi. Mi allen ni sgwrsio am gymaint o bethau – dillad rydyn ni'n hoff o'u gwisgo, miwsig rydyn ni newydd ei ddarganfod, tripiau cofiadwy, bandiau, bechgyn, babis, gobeithion am y dyfodol, atgofion. . . o ie, byddai gennym ninnau ein hatgofion.

Neu mae o'n biti nad oeddwn i o gwmpas pan oedd Bigw yn ifanc, bydda hynny wedi bod yn gystal hwyl dwi'n siŵr. Fedra i gredu eu bod nhw'n cael hwyl fawr ers talwm. Mi fyddwn i wrth fy modd yn cael reid gan Bigw yn ei char cyntaf, yn mynd â'n gwalltiau yn y gwynt a Pip tu ôl i ni a'i dafod allan. 'Run pethau fydden ni'n eu trafod dwi'n siŵr, ac yn chwerthin ac yn poeni yn eu cylch. Pam na fedrwn i fod wedi cael fy ngeni 'nghynt? Mae hynny'n beth gwirion i'w feddwl. Pan oedd Bigw yn ifanc, doedd Hanna ddim wedi priodi, heb sôn am gael Mam. Doedd y groth fyddai'n gartref i mi ddim hyd yn oed wedi ei ffurfio. Rhyfedd fel mae pethau'n dod o ddim. Mewn ffordd, roedd tamaid ohono i yn bod. Y tamaid hwnnw ohonof sy'n rhan o Nain. Roedd hwnnw'n bod, dim ond nad oedd o wedi datblygu eto i fod yn Mam, i fod yn fi . . .

Tydi o'n rhyfedd meddwl am yr amser cyn ein bod? Rydan ni'n aml yn meddwl am yr amser wedi i ni farw, ond byth braidd am yr amser cyn ein bod – fel tase 'na fawr o ddim cyn inni gael ein geni. Tybed ydi peth ohonom yn bodoli, yn llawn cynnwrf am ei fod ar fin cael ei genhedlu? Neu ai rhyw ddim mawr ydyn ni cyn ein bod yn cael ein hau? Beth sy'n dod i fod pan mae'r uniad yn digwydd? Pryd mae'r fi yn dod yn ymwybodol o'i hunan? A ddigwydd hynny pan mae'n cael ei eni? Neu pan fo'n gorwedd ar ei gefn ac yn canfod fod y darnau o gnawd sy'n cicio uwch ei ben yn rhan ohono, ac fod ganddo'r gallu i'w rheoli? A yw'n digwydd pan fo'r had wedi tyfu i'r fath raddfa nes ei fod yn gallu symud o fan i fan ohono'i hun? Neu pan fo'n dysgu llefaru a chyfleu negeseuon drwy 'stumiau a geiriau i eraill? 'Falle ei fod yn digwydd pan fo'r bod yn gallu amgyffred ei hun fel haniaeth. Hwnna ydi o – yr olaf. Tan y pwynt yna, anifail ydyw, yn tyfu am ei fod yn methu peidio tyfu, yn dysgu bwyta, symud, siarad am mai greddf yw hynny. Ond pan fo'r bod yna yn gallu amgyffred ei hun fel person meidrol fydd un dydd yn peidio â bod ar ei ffurf bresennol, mae wedi cyrraedd y pwynt hwnnw sy'n ei osod ar wahân i anifeiliaid, ac ychydig is nag angylion. Daw'n arswydus o ymwybodol o'r hyn ydyw – bod dros dro gyda'i holl gynhysgaeth a'i gymeriad tu mewn iddo, a'r rhyddid – y penrhyddid llwyr hwnnw – i wneud fel fyd a fynno o fewn ffiniau terfynol o gaeth: y bydd un dydd yn gorfod gadael y

hopes for the future, memories . . . oh yes, we'd have our memories too.

Or it's a pity I wasn't around when Bigw was young, That would have been just as much fun, I'm sure. I can well believe they had fun in those days. I'd have loved a lift in Bigw's first car, whizzing along with our hair in the wind and Pip behind us with his tongue hanging out. I'm sure we'd be laughing and worrying about exactly the same things. Why couldn't I have been born earlier? That's a ridiculous thing to think. When Bigw was young, Hanna wasn't married, never mind having Mam. The womb that would be my home hadn't even been formed. It's odd how things grow out of nothing. In a way, a piece of me did exist. That part of me that's part of Nain. That existed, it's just that it hadn't turned into Mam yet, turned into me . . .

Isn't it odd to think about a time before we existed? We often think about what happens after we die, but hardly ever about the time before we existed – as if nothing much had happened before we were born. I wonder does a part of us exist, full of excitement at the idea that it's about to be conceived? Or are we just so much nothingness before we're sown? What comes into being with the coming together? When does the self become aware of itself? When it's born? Or when it's lying on its back and discovers that the bits of flesh kicking above its head are a part of it, and that it has the ability to control them? Does it happen when the seed has grown so much that it can move independently from one place to another? Or when it learns to speak and send messages to others by words and gestures? Perhaps it happens when the being can conceive of itself in the abstract. That's it, that last one. Until that point, it's an animal, growing because it can't but grow, learning to eat, move, talk because that's its instinct. But when it can think of itself as a mortal being, a person who one day will stop existing in its present form, it's reached the point which sets it apart from animals, and a little lower than the angels. It becomes terrifyingly aware of what it is – a temporary being with its inheritance and character contained, and the freedom – that complete freedom – to do whatever in the world it likes, within rigidly strict boundaries: that it will one day have to leave the stage in the middle of all the fun. No matter which character it is, however central to the play, it has to go. And it knows nothing of the time, the place, or the occasion. That's the ultimate thrill – it could happen at any time!

51

llwyfan ynghanol yr hwyl. Waeth pa gymeriad ydyw, pa mor ganolog i'r ddrama, mae'n rhaid iddo fynd. Ac ni ŵyr yr awr, na'r lle, na phryd y'i gelwir! Dyna'r wefr eithaf – gall ddigwydd unrhyw bryd! Rydyn ni'n troedio ar hyd rhywbeth mor ansicr a weiren trapîs, yn ceisio cydbwysedd, yn gorfod mynd yn ein blaenau, ac yn gwybod y byddwn ni'n cwympo cyn cyrraedd y pen draw. Tybed beth sydd yna yn y pen draw? . . .

Munud dwi'n dechrau meddwl am y pethau hyn go iawn, dwi'n dychryn fy hun. Mae bod yng nghwmni Bigw yn gwneud i mi feddwl mwy amdanynt. Rydw i fel petawn i'n cadw llygad ar berson sydd ymhell ar y blaen i mi ar y weiren . . .

Sut 'mod i wedi canfod fy hun ar y fath daith, holaf.

'Nghydwybod i sydd ar fai. Teimlo biti drosti oeddwn – yn fanno ddydd ar ôl dydd, ac yn meddwl y basa hi'n licio newid. Roedd o i weld mor syml ar y pryd – mor syml â neidio i mewn i'r car ac i ffwrdd â ni. Fydda Mam yn ei wneud o weithiau, ond ddim yn aml iawn. Rydw i'n deall pam rŵan. Mae hi'n dweud pethau mor hurt! Efallai mai dyna ganlyniad byw ar eich pen eich hun am amser maith, 'da chi'n colli'r gallu i gyfathrebu yn effeithiol. Nid yn gymaint efo *beth* i'w ddweud, ond *pryd* i'w ddweud o, a phryd i beidio. Efallai nad ydi hi'n meddwl llawer cyn siarad – dim ond dweud pethau fel maen nhw'n dod i'w phen.

* * *

Maen nhw'n dod o hyd i Isfryn, ac mae hi'n falch. Tydi ddim yn gallu gweld y tŷ yn dda iawn, ond mae o'n rhoi rhyw bleser cynnes iddi fod yr adwy yn dal yr un fath gyda'r gwrych del yna yn fwa dros y giât. Mae cymaint o atgofion yn dod yn ôl. Mae Eleni wedi mynd allan o'r car. Tybed ydi hi'n mynd i holi pwy sy'n byw yno rŵan? Roedd yna bump o blant i gyd – Johnnie, Harriet, a Bertie, doedd hi ddim yn cofio enwau'r lleill. Roedden ni'n cael y fath hwyl yn eu cwmni! A'r partïon da fydden nhw yn eu cael yna. Gwenai wrthi ei hun wrth gofio am y phonograff cynnar oedd ganddynt a'r difyrrwch mawr oedd i'w gael wrth wrando ar y recordiau cyntaf – sut oedd y gân honno yn mynd? O rigolau ei chof, ceisiai ddwyn yr alaw yn ôl, ond methodd.

Lle yn y byd oedd Eleni wedi mynd? Syllodd ar ei menyg bler, dylai fod wedi cael par gwell i fynd allan, ond chafodd hi ddim amser i baratoi. Mi ddigwyddodd y peth mor sydyn. Roedd ganddi

We're treading along a rope as wobbly as any trapeze wire, trying to keep our balance, having to go forwards, but knowing that we'll fall before we reach the other side. I wonder what there is at the end? . . .

The minute I start thinking seriously about these things, I frighten myself. Being in Bigw's company makes me think more about them. It's as if I'm keeping an eye on someone who's a long way ahead of me on that wire . . .

How did I find myself on such a journey, I ask.

It's my conscience that's the problem. I felt sorry for her – there in the Home, day after day, and thought she'd like a change. It seemed so simple at the time – as simple as jumping into the car and away we go. Mam used to do it sometimes, but not very often. I understand why now. She says such stupid things! Maybe that's what living on your own for so long does to you, you lose the ability to communicate properly. Not so much *what* to say, but *when* to say it, and when not. Perhaps she doesn't think much before she speaks – just says things as they come into her head.

*   *   *

They find Isfryn and she's glad. She can't see the house very well, but it gives her a kind of warm glow that the approach is still the same, with that pretty hedge arching over the gate. So many memories. Eleni has left the car. Perhaps she's going to ask who lives there now? There were five children altogether – Johnnie, Harriet and Bertie, she couldn't remember the others' names. We had such fun in their company! And the parties they used to have there. She smiled to herself as she remembered the early phonograph they had, and the great fun they enjoyed while listening to the first records – how did that song go? She tried to conjure the melody from the ruts of her memory, but failed.

Where on earth had Eleni gone? She stared at her untidy gloves. She should have found a better pair to go out in, but she'd had no time to prepare. The whole thing happened so suddenly. She had a pretty pair of black lace gloves somewhere, but she didn't know where. She no longer knew where anything was. She could do with another coat, too. Now that would be a treat – to go shopping in

bar del o fenyg les du yn rhywle, ond wyddai hi ddim ble. Wyddai hi ddim ble oedd dim byd bellach. Gallai wneud efo cot arall hefyd, dyna beth fyddai treat – cael mynd i Landudno i siopa a dod adre gyda chot newydd. Ond prin y gallai hi gyfiawnhau un yn ei hoed hi – pa ddefnydd a wnâi o got newydd?

Doedd hi byth yn mynd allan, ar wahân i dripiau annisgwyl fel hyn. Chwarae teg i Eleni . . . beth ddaeth drosti? Ond fe fyddai wedi hoffi cael mwy o rybudd. Roedd yna rywbeth braf mewn edrych ymlaen . . .

Ymhen hir a hwyr, daeth Eleni yn ôl.

'Ddaru chi ganfod pwy sy'n byw yno rŵan?'

'Naddo, dim ond mynd am dro i fyny'r lôn ddaru mi.'

'Wyddwn i ddim i lle roeddech chi wedi mynd.'

'Pwy ddywedsoch chi oedd yn arfer byw yno?'

'Bertie a Harriet a'u brodyr a chwiorydd.'

'Ydyn nhw'n dal yn fyw?'

'Mi laddwyd Bertie yn y Rhyfel a lladd ei hun wnaeth Johnnie. Gollodd eu mam ei phwyll. Wn i ddim be ddigwyddodd i Harriet, mae'n rhaid ei bod wedi mynd i ffwrdd.'

'Pam ddaru Johnnie ladd ei hun?'

'Y ddiod.'

'O.'

Roedd Bertie yn glên efo hi – roedd o'n ffrindiau mawr efo Harri ei brawd, ond fydda fo byth yn gwneud iddi hi deimlo allan ohoni. I ba le bynnag roeddynt yn mynd, câi hithau fynd hefo nhw. Weithiau, byddai Harriet yn dod, a Johnnie a rhai o'r lleill, ond byddai Bertie, Harri, a hithau yn mynd efo'i gilydd i bob man. Pan gafodd hi feic newydd, mynd â fo i Isfryn i'w ddangos oedd y daith gyntaf. Mi deithiodd y tri ohonyn nhw filltiroedd lawer ar feiciau. Ac ar hafau poeth, fe aent am bicnics na fyddai byth yn darfod. Roedd hi'n braf cofio dyddiau felly.

Llandudno and come back with a new coat. But she couldn't really justify one at her age – what use would she have for a new coat?

She never went out, apart from unexpected trips like this. Fair play to Eleni . . . what had come over her? But she would have liked to have had more notice. There was something pleasant about looking forward . . .

In the end, Eleni came back.

'Did you find out who lives there now?'

'No, I just went for a walk up the road.'

'I didn't know where you'd gone.'

'Who did you say used to live there?'

'Bertie and Harriet and their brothers and sisters.'

'Are they still alive?'

'Bertie was killed in the War and Johnnie killed himself. Their mother went mad. I don't know what happened to Harriet, she must have gone away.'

'Why did Johnnie kill himself?'

'Drink.'

'Oh.'

Bertie had been nice to her – he was great friends with her brother Harri, but he'd never made her feel left out of things. Wherever they went, she went too. Sometimes, Harriet came, and Johnnie and some of the others, but Bertie, Harri and herself would go everywhere together. When she got a new bike, the first journey was to Isfryn to show the others. The three of them rode for miles on their bikes. And in the hot summers, they went for picnics that never seemed to end. It was good to remember those days.

8

Roedd ei chof yn ei dychryn weithiau. Rhyfeddai sut y gallai rhywbeth a allai beri cymaint o bleser achosi cymaint o boen. Roedd ei chof fel chwarel enfawr yn llawn mwynau prin. Mwya'n y byd y cloddiai ynddo, mwya'n y byd y byddai'n ei ddarganfod. Gallai hollti atgof yn ei hanner a chanfod rhagor o ryfeddodau o'i mewn. Profiadau ac atgofion pleserus fyddai hi'n cloddio amdanynt ran amlaf, ond weithiau byddai'n cael ei gostwng i'r gwaelodion dirgel hynny lle roedd myrdd o brofiadau ac emosiynau a oedd yn peri dolur. Ond roedd yn rhaid i'r rheini fod yna. Ni fynnai gael gwared ohonynt yn llwyr. Roeddynt yn rhan o'i bywyd, yn rhan o'r hyn a'i gwnâi yn hi a neb arall.

* * *

Rhoddais fy hun yn ei lle hi. Tŷ pwy garwn i ei weld fyddai'n dod ag atgofion clên yn ôl i mi? Gallaf feddwl am bobl a wynebau, ond ceisiwn feddwl am dŷ – cartref rhywun y byddwn yn ei gysylltu ag amseroedd da. Dalla i ddim meddwl am un adeilad penodol. Mae yna gymaint o lefydd. Mae fy ffrindiau i wastad yn symud i fyw, rydw i wastad yn gwneud ffrindiau newydd. Mae pob man y cawn ni amser da ynddo yn lle gwahanol. Rydw i'n cysylltu Llanddwyn efo amseroedd da, ond dydi hwnna ddim fel tŷ sy'n crynhoi atgofion.

Rydw i'n meddwl am Bigw yn cael amseroedd da efo'r bobl 'na sydd bellach wedi marw. Fedra i ddim dychmygu dim byd gwaeth. Mor unig yw! Ac nid yn unig ei ffrindiau sydd wedi mynd, ond ei theulu hefyd – ar wahân i ni, does ganddi neb ar ôl. A dydyn ni ddim gymaint o sbort â hynny achos mai dod *wedyn* ddaru ni – dod pan oedd hi'n rhy hen i fwynhau ei hun. Does ganddi fawr o atgofion pleserus i'w cysylltu efo ni, dim ond eiddigedd tuag atom am ein bod ni yn rhydd ac yn ifanc, a hithau yn gaeth i'w henaint. 'Falle mai dyna pam mae hi mor flin efo ni.

Dwi'n ceisio dyfalu faint o'i ffrindiau hi sy'n dal yn fyw. Fi fyddai yn cael y gwaith bob blwyddyn o helpu Bigw gyda'i chardiau Dolig. Fyddai dim cymaint a hynny o ots gen i – roedd

8

Her memory frightened her sometimes. She wondered how something that could cause her so much pleasure could also cause her so much pain. Her memory was like a huge quarry, full of rare minerals. The more she excavated, the more she discovered. She could split a memory in half and find further wonders inside it. Mostly she quarried for pleasant experiences and memories, but sometimes she was lowered to those secret depths where there were a thousand experiences and emotions that caused her pain. But those had to be there. She didn't want to get rid of them altogether. They were part of her life, part of what made her herself, and no one else.

*   *   *

I put myself in her place. Whose house would bring back happy memories for me? I can think of people and faces, but I tried to think of a house – the home of someone who makes me think of good times. I can't think of any specific building. There are so many places. My friends are always on the move; I often make new ones. I've had good times in so many different places. I associate Llanddwyn with good times, but that's not like a house, a building that encompasses memories.

I think of Bigw having good times with those people, who are dead now. I can't think of anything worse. How lonely that is! And it's not just her friends who've gone, but her family too – apart from us, there's no one left. And we're not all that much fun, because we came afterwards – when she was too old to enjoy herself. She doesn't have many happy memories linked with us, just envy towards us because we're young and free, and she's a prisoner of old age. Maybe that's why she's so cross with us.

I'm trying to work out how many of her friends are still alive. It was my job every year to help Bigw with her Christmas cards. I didn't mind that much – it was an excuse to do something with her rather than the strain of trying to hold a conversation. The first

o'n esgus i wneud rhywbeth efo hi yn hytrach na'r straen o geisio cynnal sgwrs. Y peth cyntaf fyddwn i'n ei wneud fyddai gwneud rhestr o'i chydnabod oedd am dderbyn cerdyn ganddi, gan wneud yn siŵr eu bod nhw yn dal yn fyw. Yna, byddai'n rhaid gosod y cardiau i gyd o'i blaen ar y bwrdd iddi gael penderfynu p'un oedd hi am ei anfon i bwy. Roedd o ymysg yr ychydig benderfyniadau oedd hi'n dal i gael eu gwneud. Roedd yn bwysig iawn cael rhai Saesneg ar gyfer y ffrindiau hynny nad oeddynt yn deall Cymraeg. Y cam nesaf oedd agor y cardiau i gyd a darllen y cyfarchiad neu'r pennill oddi mewn. Byddai Bigw yn gwrando'n astud gan ddwys ystyried ar gyfer pwy fyddai'r geiriau yn gweddu orau. Erbyn i mi orffen darllen y cardiau, byddai wedi anghofio beth oedd ar y cerdyn cyntaf, a byddai'n rhaid eu darllen sawl gwaith.

'Beth oedd y bennill eto?'

'. . . a deilen Gŵyl Nadolig
y Duw Byw yn llond ei big.'

'Tydi hynny ddim yn ddigri iawn, nac ydi?'

'Dwi ddim yn meddwl mai jôc ydi o i fod.'

'Meddwl fasa fo'n gneud i Magi 'ron i am fod yna eira arno. Hogan ddigri ydi Magi. Mae hi'n licio chwerthin.'

'Mae hwn yn un digon gwirion.'

'Mi ro i'r llall i Gertie 'ta, mae hi'n ddynes reit dduwiol.'

Ac felly y byddem ni'n dwy am oriau yn didoli ac yn cloriannu bob cerdyn, hithau'n dewis un ac yn newid ei meddwl, yna'n newid ei meddwl eto. Petai'r rhai a'i derbyniai yn gwybod cymaint o feddwl oedd tu ôl i bob cerdyn, byddent yn siŵr o'i werthfawrogi fwy. Robin goch fyddai'r ffefryn gan Bigw ei hun bob tro. Roedd hi'n arbennig o hoff ohonynt. Beth bynnag fyddai'r presant diwerth a brynwn iddi, gwnawn ymdrech arbennig i gael cerdyn efo robin goch iddi bob Dolig.

Fi fyddai'n 'sgwennu 'Dolig Llawen' ar bob cerdyn, ac yna, fel plentyn teirblwydd, byddai Bigw yn gafael yn drwsgwl yn y feiro a gwneud ryw rwtsh ratsh oedd i fod i olygu Lisi neu Bigw, roedd o mor annealladwy fel y gallai olygu'r naill neu'r llall. Ond 'Bigw' oedd hi i ni ers cyn cof a chyn hynny. Fe'i hailfedyddiwyd gyda'r enw hwnnw pan oedd Mam neu ei chwaer yn fach, fach. Roedd yna gymaint o Anti Lisis yn y teulu fel nad oedd diben cael un arall. O enau plant bychain y daeth yr enw Bigw. Pan fathwyd yr enw, doedd yr un o'r ddwy fach yn ddigon hen i gysylltu 'Bigw' efo 'bigog', ond mae o'n rhyfedd fel y gall enw weddu'n berffaith. 'Bigw' fuo

thing I'd do was make a list of her acquaintances, making sure they were still alive. Then, I'd have to put all the cards in front of her on the table so she could decide which one she was going to send to which friend. It was one of the few decisions she was still allowed to make. It was very important to have English ones for the friends who couldn't understand Welsh. The next step was to open all the cards and read the greeting or the verse inside. Bigw would listen intently and consider deeply: who did the words suit best? By the time I'd finished reading the cards, she'd have forgotten what was on the first card, and she'd have to read them several times over.

'What was that verse again?'
'He carries in his little wing
A blessing pure from Christ the King.'
'That's not very funny, is it?'
'I don't think it's meant to be a joke.'
'I thought it would do for Maggie because it has snow on it. Maggie's a funny girl. She likes to laugh.'
'This is a silly one.'
'I'll give the other one to Gertie then, she's quite religious.'
And there we'd both be for hours on end sorting and weighing and measuring each card. She'd choose one and then change her mind, and then change her mind again. If the recipients had any idea how much thought went into each card, they'd surely have appreciated it more. Bigw's own favourite was always a robin redbreast. She was particularly fond of them. However feeble the present I got her, I'd always make a particular effort to find a card with a robin on it for her at Christmas.

It was me who wrote 'Merry Christmas' on each card and then, like a three-year-old, Bigw would grasp the biro clumsily and put a squiggle that was meant to represent either Lisi or Bigw. It was so indecipherable it could have meant either. But she'd been 'Bigw' to us as long as we could remember, and beyond. She'd been rechristened when Mam or her sister were tiny. There were so many Aunty Lisis in the family that there was no point in having another one. From the mouths of babes came the name Bigw. When the name was coined, neither of the little girls was old enough to associate 'Bigw' with the word *pigog*, 'spiky', and it's amazing how a name can suit someone exactly. She was always 'Bigw' from

hi byth oddi ar hynny nes yr adwaenid hi felly gan bawb ac eithrio ffrindiau bore oes, a phethau prin, prin oedd rheini erbyn y diwedd.

* * *

'Be ydi hwnna?' gofynna Bigw.
 'Be ydi be?'
Dydi hon ddim yn sylweddoli 'mod i'n trio gyrru.
'Y llun bach del yn fan hyn.'
Mae'n cyfeirio at y sticer sydd gen i ar y ffenest flaen.
'O, *Greenpeace* ydi hwnna. Llun dolffin yn y môr efo enfys.'
'Del 'de?'
Dydi ddim yn deall. Bum munud yn ddiweddarach:
'Beth sydd 'nelo hynna efo pys?'
'*Peace* – heddwch ydi o, Bigw. Heddwch i bethau gwyrdd, i'r amgylchedd a phethau felly.'
Lle mae rhywun i ddechrau egluro?

* * *

Heddwch. Ddaru hi rioed ddeall y gair. Hyd heddiw, dydi hi ddim yn ei ddeall.

Yn enw heddwch y digwyddodd hynny i gyd – ac i beth? Gafodd rywun heddwch yn y diwedd? Oedd yna unrhyw un, gwlad, teulu, neu berson, ar ei ennill oherwydd y Rhyfel? Os oedd yna, chlywodd hi erioed amdanynt.

Doedd o'n rhyfedd fel daeth o – o 'nunlle rywsut. O fod yn brint ar bapur newydd am rywle yn bell i ffwrdd, i ddwyn ei brawd oddi arni.

Roedden nhw wedi dod i delerau efo bywyd – ei thad, Harri, a hithau. Am y tro cyntaf, roedd hi'n gallu teimlo ei bod o werth. Roedd hi'n gofalu am y ddau berson yma, y ddau oedd agosaf ati, ac roedd hi'n cael bodlonrwydd mawr o wneud hynny.

Doedd Hanna ddim yn byw yn bell iawn oddi wrthynt, ac yr oedd yna fanteision a ddaeth yn sgîl ymadawiad Hanna. Tra oedd Hanna yn byw gyda hwy, chwaer fach oedd hi, rhyw atodiad i'r teulu. Bellach, hi oedd gwraig y tŷ, ac o'i chwmpas hi roedd pethau'n troi.

Ar wahân i briodas, doedd hi ddim yn gweld dim byd fyddai'n gallu ei gwahanu hi a Harri. Ac roedd priodas yn rhywbeth pell i

then on to all except her childhood friends, and by the end they were very few and far between indeed.

*   *   *

'What's that?' asks Bigw.
'What's what?'
This woman doesn't realise I'm trying to drive.
'That pretty little picture here.'
She means the sticker on the windscreen.
'Oh, that's the Greenpeace logo. A picture of a dolphin in the sea with a rainbow.'
'Pretty, isn't it?'
She doesn't understand. Five minutes later:
'What has that got to do with peas?'
'Peace, not peas, Bigw. Peace to green things, to the environment, and things like that.'
How on earth do you begin to explain?

*   *   *

Peace. She'd never understood the word. To this day, she doesn't understand it.

All that had happened in the name of peace – and for what? Did anyone find peace in the end? Was a single person, country, or family better off because of the War? If so, she'd never heard of them.

Wasn't it odd how it had appeared – from nowhere, somehow. From newsprint on newspaper about somewhere far away, to taking her brother away from her.

They had come to terms with life – her father, Harri, and herself. For the first time, she felt she was valued. She was looking after these two people, the two people closest to her. It gave her great satisfaction.

Hanna didn't live very far away, and her leaving hadn't been all bad. While Hanna was living with them, she was the little sister, a kind of adjunct to the family. Now, she was the woman of the house: things revolved around her.

Apart from marriage, she couldn't think of anything that would separate her from Harri, and marriage was a long way away. Like

61

ffwrdd – fel rhyfel. Rhyw ddod yn raddol ddaru o – dod yn slei drwy'r drws fel drafft. Harri'n dod adref yn ei iwnifform oedd y peth a'i dychrynnodd gyntaf. Roedd yr iwnifform yn wisg gyffredin i'r bechgyn i gyd, ond roedd gweld Harri mewn un yn codi ofn arni. Harri – yn filwr! Mor ddiniwed oedd popeth ar y pryd – pawb yn Carneddau yn trin y peth fel sioe. Mawr oedd y paratoi, mawr oedd y cynnwrf, ac roedd pawb wedi eu huno gyda'i gilydd gydag un nod cyffredin – anfon eu meibion i ffwrdd i gael eu lladd. Tybed sut fydden nhw wedi ymateb 'taen nhw wedi gorfod gwisgo eu plant mewn amdo yn hytrach nag iwnifform, ac wedi gorfod eu gosod mewn arch a chau'r caead yn lle eu gosod ar drên a chau'r drws? Neu be tase na lori fawr fel un y lladd-dŷ wedi dod heibio a chasglu eu plant nhw i gyd fel bwtsiar yn casglu gwyddau cyn y Nadolig? 'Run peth oedd o yn y pen draw. Roedd o'n syniad gwallgo. Ond dyna oedd y peth i'w wneud ar y pryd. Rhaid oedd ei wneud, er mwyn y Wlad a'r Brenin. Roedd disgwyl i chi ei wneud, pam ddylai eich plentyn chi gael ei esgusodi o'r lladdfa?

A doedd rhoi eich mab ar y trên ddim fel ei roi mewn arch siŵr iawn. Roedd o'n ifanc ac yn llawn bywyd ac yn fochgoch yn union fel yr oedd o'n hogyn. Gafaelai yn eich llaw a'i lygaid yn disgleirio wrth feddwl am yr antur. Doedd y rhan fwyaf ohonynt ddim wedi bod ymhellach na Bangor. A hyd yn oed ar ôl i chi gau drws y trên, fydda fo'n rhoi ei ben allan am gusan arall ac yn codi ei law arnoch nes ei fod wedi mynd o'r golwg. I lawer mam, dyna'r tro diwethaf y byddai'n gweld ei phlentyn. Oedd, roedd rhyfel yn beth creulon, creulon.

Ond ymuno yn y cyfan ddaru nhw i gyd. Gwlad yn ymladd am ei heinioes, am gyfiawnder i wledydd bychain ac am heddwch byth bythoedd. Oedd, roedd Heddwch yn air mawr. Dyna pam mai ychydig iawn a wrthwynebodd y rhyfel. Roedd o'n rhywbeth anochel.

Fe gadwodd ei lythyrau i gyd. Roedd o'n un da am sgwennu. O bryd i'w gilydd câi gerdyn post – un cwbl annisgwyl efo dim mwy na brawddeg – dim ond i ddangos ei fod yn cofio amdani. Ni adawodd o ei meddyliau tra bu i ffwrdd. Wedi iddo fynd, roedd yn byw dau fywyd – ei bywyd ei hun, a dyfalu pa fywyd oedd Harri yn ei fyw. Doedd ei lythyrau byth yn dweud ei hanner hi. Ceisiai ymddangos mor ddibryder â phosib. Darllen ei ddyddiaduron wedyn a barodd iddi sylweddoli gymaint yr oedd yn ei guddio. Pam na fyddai wedi rhannu mwy? Doedd o ddim eisiau peri gofid iddi hi a'i thad, roedd hynny'n ddealladwy. Ond faint gwaeth

war. It came gradually, creeping though the door like a draught. Harri coming home in his uniform was the first thing that frightened her. All the boys wore uniform, but seeing Harri in one made her feel scared. Harri – a soldier! Everything was so innocent all the time – everyone in Carneddau treated the thing as a peepshow. The preparations were mighty, the excitement was mighty, and all had joined together in one common aim – sending their sons away to be killed. She wondered how they would have responded if they'd had to dress their children in shrouds rather than uniforms, had to place them in their coffins and screw down the lids rather than putting them on a train and closing the door? Or what if a great lorry like the abattoir truck had come by and gathered all their children, like a butcher picking up geese before Christmas? In the end it came to the same thing. It was a mad idea. But at the time that was the thing to do. It had to be done, for King and Country. You were expected to do it. Why should your child be spared the slaughter?

And putting your son on the train wasn't like laying him in a coffin, not really. He was young and full of life, and as rosy-cheeked as he'd been when he was a boy. He grasped your hand and his eyes shone as he thought of the adventure. Most of them had been no further than Bangor. And even after you'd closed the train door, he'd put his head out for another kiss and then wave his hand until he'd gone from your sight. For many a mother, that was the last time she'd see her child. Yes, war was a cruel, cruel, thing.

But they all joined in. A country fighting for its soul, for justice for the little countries and for peace evermore. Yes, Peace was a very important word. That's why so few objected to the war. It had been inevitable.

She kept every one of his letters. He wrote often. Every now and then she'd get a postcard – a completely unexpected postcard, with no more than a sentence – just to show that he was thinking of her. He was never out of her thoughts while he was away. After he'd gone, she lived two lives – her own life, and wondering what kind of life Harri was living. His letters never told the half of it. He tried to seem as carefree as possible. It was reading his diaries afterwards that made her realise how much he'd been hiding. Why hadn't he shared more of it? He didn't want to worry her and their father, that was understandable. But how much worse off would

fydden nhw o fod wedi cael rhannu tipyn o faich ei ofid ef? Nid rhywbeth i'w gadw i'r hunan ydi baich felly.

Unwaith erioed y daeth adref. Cawsant *leave* arbennig am bythefnos. Doedd hi erioed yn cofio'r fath hapusrwydd. Cael bod efo Harri eto – cyffwrdd ynddo, cael gweld ei wyneb, sgwrsio ag o, rhannu, crio, chwerthin . . . Roedd ei byd yn gyflawn unwaith yn rhagor. Ac yna'r pnawn hwnnw cyn iddo fynd yn ôl. Roedd hi wedi trefnu eu bod yn mynd am de i gaffi clên yn Nhalbont, ond gwrthododd fynd. Y cyfan oedd o eisiau ei wneud oedd mynd am dro i Gae Garw.

Roedd hi'n ddiwrnod braf, pechadurus o braf. Buont yn cerdded a cherdded am amser maith, a Harri'n dweud dim. Doedd hithau ddim eisiau tarfu arno, roedd yn amlwg fod ei feddyliau ymhell i ffwrdd. Ceisiai gofio yn wyllt am yr holl bethau yr oedd eisiau eu dweud wrtho cyn iddo fynd, ond doedd dim byd yno, dim ond awydd angerddol i fod yn ei gwmni, ac i gerdded fel hyn wrth ei ochr am byth. Doedd o ddim yn bnawn fel y dychmygodd hi y byddai.

O'r diwedd, eisteddodd y ddau ohonynt i lawr, a gwnaeth Harri rhywbeth nad oedd o erioed wedi ei wneud o'r blaen –gafaelodd yn ei llaw. Fydda fo byth yn un am ddangos ei deimladau felly. Gallai glywed ei lais yn awr.

'Gafael yn fy llaw i, Lisi – gafael yn dynn ynddi. Chaf i ddim teimlo cyffyrddiad fel hyn am amser hir iawn eto. Dyna sydd waetha, Lisi. Dydi teimladau ddim yn bwysig yn y lle 'na. Nid dynion ydyn nhw, ond anwariaid.

Roedd o'n cynhyrfu fwyfwy wrth siarad ac yn colli ei wynt, gan mor daer ydoedd.

'Beth wna i Lisi ? Mae bod adre efo ti a Tada wedi dangos i mi mor erchyll ydi'r cyfan. 'Ron i wedi dechrau mynd 'run fath â nhw, Lisi. Yn awr, fedra i ddim meddwl am fynd yn ôl. Lisi, wyt ti'n cofio ni yn edrych i lawr Twll Ceubwll ers talwm ac yn dychmygu beth oedd yn llechu yno? Wyt ti'n cofio'r trychfilod dychrynllyd yna y bydden ni'n cymryd arnom ein bod wedi eu gweld – gwŷr heb bennau yn cael eu llosgi'n fyw, a seirff gwenwynig yn eu gwasgu? Rydw i wedi bod yna, Lisi. Mi ges i fy lluchio i lawr Twll Ceubwll i'w canol . . .'

'Harri . . .'

Trodd i'w hwynebu gan afael yn ei hysgwyddau ac wrth iddo edrych yn wallgof i fyw ei llygaid, gwelodd yn ei lygaid ef adlewyrchiad o'i feddwl hunllefus.

they have been if they'd been allowed to share a little of his burden of worry and fear? He shouldn't have kept it all to himself.

He only came home the once. They were granted special leave for a fortnight. She couldn't remember ever feeling such happiness. Being with Harri again – to touch him, to see his face, to talk with him, to share, to cry, to laugh . . . Her world was complete once again. And then that afternoon before he went back. She'd arranged to have tea in a nice café in Talbont, but he refused to go. All he wanted to do was to go for a walk to Cae Garw.

It was a fine day, a sinfully fine day. They walked and walked for a long time. Harri said nothing. She didn't want to disturb him, it was obvious his thoughts were far away. She tried wildly to remember all the things she wanted to say to him before he went, but there was nothing there, only the passionate desire to be in his company, and to walk like this by his side for ever. It was not the kind of afternoon she'd imagined.

At last, they sat down, and Harri did something he'd never done before. He took hold of her hand. He wasn't one for showing his feelings in that way. She could still hear his voice to this day.

'Hold my hand, Lisi – hold it tight. I won't feel a touch like this for a long time yet. That's the worst thing, Lisi. Feelings aren't important in that place. They're not men, they're savages.'

He was becoming more and more agitated as he talked, growing breathless, insistent.

'What shall I do, Lisi? Being at home with you and Tada has shown me how frightful it all is. I'd started to become the same as them, Lisi. But now I can't think of going back. Lisi, do you remember us looking down Twll Ceubwll once and imagining what was lurking down there? Do you remember those terrible monsters we persuaded ourselves we'd seen – men with no heads being burnt alive, and poisonous snakes choking them? I've been there, Lisi. I was thrown down into Twll Ceubwll, into their midst . . .'

'Harri . . .'

He turned to face her, clutching her shoulders, and as he looked madly into her eyes she saw in his eye the reflection of his nightmare-ridden mind.

'Rydw i wedi gweld pethau, Lisi, pethau na ddaru mi erioed eu dychmygu . . .'

Ni allai fynegi ei hun.

'A'r peth gwaetha, y peth gwaetha un ydi 'mod i wedi dod i arfer efo nhw. Dydyn nhw ddim yn fy nychryn i fel roedden nhw'n arfer ei wneud. Dwi wedi cynefino efo nhw! Rydw i wedi colli'r gallu i deimlo! Dim ond rŵan, wrth eistedd yn fan hyn dwi fel taswn i'n sylweddoli . . . elli di ddim credu mor ddieithr i mi ydi bod yn fan hyn efo ti, dydi o ddim yn gwneud synnwyr. Lisi, wn i ddim lle ydw i!'

Mi dorrodd o i lawr a chrio'n chwerw 'run fath â hogyn bach. Rhoddodd Lisi ei ben ar ei harffed a dechrau mwytho ei wallt. Mwya sydyn, fe rwygodd ei hun oddi wrthi, cododd, a cherddodd oddi yno hebddi.

O'r eiliad honno, synhwyrodd Lisi ei bod wedi ei golli. Roedd rhywbeth dychrynllyd wedi digwydd iddo. Roedden nhw wedi dryllio ei enaid. Ni wyddai'r creadur pwy oedd o, na beth oedd o. Roedd ei chalon yn gwaedu drosto, ond roedd hi'n gwbl ddiymadferth. Aeth gyda'i thad y diwrnod wedyn i ffarwelio ag o, ond doedd dim teimlad yn ei ddwylo bellach. Roedd yna olwg pell i ffwrdd yn ei lygaid, a gwyddai ei fod eisoes wedi ei gadael.

Pan ddaeth y newyddion am ei farwolaeth, synnodd hi ddim gymaint â hynny. Dim ond gorffen y broses oedd hynna. Sylweddolodd fod rhyfel yn gallu gwneud rhywbeth llawer mwy erchyll i ddynion na'u lladd.

Nid oedd yn cofio colli dagrau. Roedd hyn y tu hwnt i ddagrau. Gadawodd i'r gofid gronni ynddi gan fynd yn drymach bob dydd. Mewn gwirionedd, roedd hi'n dal i feddwl fod Harri i ffwrdd yn y rhyfel, yn bell bell i ffwrdd. Bu'n gwisgo'r arfwisg honno am flynyddoedd.

Yna un dydd, a hithau'n wraig ganol oed, Hanna bellach yn fam i dri o blant, a rheini'n prysur dyfu yn bobl ifanc, y byd yn mynd rhagddo a rhyfel arall ar y gorwel, bu farw ei thad. Y tro hwn, nid oedd yr amgylchiadau yn anarferol. Dioddefodd waeledd maith a bu farw o henaint. Bu pethau'n brysur iawn dros y cynhebrwng, a daliodd Lisi ei thir yn anrhydeddus. Wedi treulio wythnos neu ddwy gyda Hanna, daeth yn ôl i dŷ gwag. Bu'n aros am hir i rywun gyrraedd, ond wnaeth yna neb. Yna, sylweddolodd mai disgwyl am Harri ydoedd. Rywsut, carai feddwl fod Harri eisiau dod ati, eisiau cynnig cysur iddi, eisiau bod yn gwmni iddi yn ei hunigrwydd. Mor wirion ydoedd. Roedd Harri mewn bedd ers ugain mlynedd.

Doedd Harri ddim yn bod.

'I've seen things, Lisi, things that I'd never imagined . . .'

He couldn't express himself.

'And the worst thing, the very worst thing is that I've got used to them. They don't scare me any more. I've become used to them! I've lost the ability to feel! It's only now, as I sit here, that I realise . . . you wouldn't believe how strange it feels to be here with you. It doesn't make sense. Lisi, I don't know where I am!'

He broke down and cried bitterly, like a little boy. Lisi put his head in her lap and started to stroke his hair. Suddenly, he tore himself from her, got up, and walked away without her.

From that moment on, Lisi sensed she had lost him. Something dreadful had happened to him. They'd shattered his soul. The poor creature didn't know who or what he was. Her heart bled for him, but she was completely powerless. She went with her father the next day to say goodbye to him, but there was no feeling in his touch any more. There was a faraway look in his eyes, and she knew that he'd already left them.

When the news of his death came, she wasn't that surprised. It was just the end of the process. She realised that war could do something far more terrible to men than kill them.

She didn't remember shedding any tears. This was beyond tears. She let the grief pool inside her, getting heavier day by day. In truth, she still thought that Harri was away at war, a long, long way away. She wore that armour for years.

Then one day, when she was a middle-aged woman, and Hanna a mother of three children rapidly growing into young people, the world going on and another war on the horizon, her father died. This time, the circumstances weren't exceptional. He had a long illness and died of old age. Things were very busy over the time of the funeral, and Lisi bravely held her ground. Having spent a week or two with Hanna, she came back to an empty house. She waited a long time for someone to come, but no one did. She realised then that she was waiting for Harri. Somehow, she liked to think that Harri wanted to come to her, wanted to comfort her, wanted to keep her company in her loneliness. How daft. Harri had been in his grave these twenty years.

Harri didn't exist.

9

Arhosais mewn gorsaf betrol. Mi fydda i'n un sy'n licio gorsafoedd petrol. Maen nhw'n amrywio'n fawr ac er y cewch chi lawer sy'n hollol ddigymeriad, mi ddowch chi ar draws nifer o rai eraill diddorol iawn. Mae 'na wastad brysurdeb yma – pawb yn tendio i'w gar, yn ei fwydo, ei fwytho, ei lanhau, ei drwsio. Mi fydda i'n licio'r stwna yma efo ceir. Garej PDH ydi hwn – Pawb Drosto'i Hun. Mae pob dim yn PDH bellach – archfarchnadoedd, llefydd parcio, banciau, peiriannau parod. Mewn dipyn mi fydd gwasanaeth doctor yn PDH, mi fyddwch chi'n cerdded i mewn i beiriant, hwnnw yn dadansoddi eich salwch, byddwch yn rhoi punt mewn blwch, a bydd ffisig neu dabledi yn dod allan wedi ei bacio'n ddestlus a *print-out* taclus i ddilyn i ddweud wrthych pryd i gymryd y moddion.

Beth ydi'r ysfa yma i geisio ei gwneud yn ddiangen i bobl ymwneud â'i gilydd? Mi fydda i'n licio cyfarfod pobl a chael sgwrs efo hwn a'r llall. Mi fydda i hyd yn oed yn siarad efo peiriant twll-yn-wal weithiau. Ond yr un ateb gaf i ran amlaf: 'Dim arian ar hyn o bryd; rydych eisoes wedi cymryd mwy na'ch siâr.' Gobeithio y bydd gen i ddigon o arian i dalu am hwn. Fydda i'n gwneud hynny'n aml, gwario pres, ac yna ystyried ydi o gennyf i'w wario. Rydw i'n stwna yn y car am y llyfr siec. Mae Bigw yn mwydro am rywbeth.

'Mewn garej ydyn ni, Bigw.'

Pan af at y cownter, dywed y dyn nad siec sydd ei angen ond y cerdyn. Does dim angen sgwennu siec bellach, mi wnaiff y cerdyn yn unig y tro. Ylwch, mae na fashîn sbeshial yn fan hyn ar ei gyfer o. Dwi'n brysio yn ôl i'r car i chwilio am y cerdyn.

'Bloda ydi rheini draw fan 'cw?'

'Ia, Bigw. Ydach chi wedi gweld fy mag i yn rhywle?'

Mae hi'n trio gwthio prês i fy llaw.

'Na, dwi'n iawn, Bigw. Does dim isio i chi roi dim byd. Dim ond fy ngherdyn i ydw i isio – cerdyn banc.'

Dydw i ddim wedi deall.

'Fasach chi'n prynu bloda i mi?'

9

I stopped at a petrol station. I like petrol stations. They're all different, and though a lot of them are rather bland, some are quite interesting. There's always a bustle here, people seeing to their cars, feeding them, patting them, cleaning them, mending them. I like all this fussing about with cars. This is an SS garage – a self-service. Everything is self-service now – supermarkets, car parks, banks, machines. Before long the doctor will be self-service, you'll walk into a machine, it'll diagnose your ailments, you'll put a pound in a box, and medicine or tablets will appear, neatly packaged, followed by a neat printout to tell you when to take the medication.

What is this obsession with making it unnecessary for people to have anything to do with each other? I like meeting people, chatting with them. I even talk to the cashpoint machine sometimes. But I usually get the same reply: 'The cash available to you at present is nil. You have already withdrawn your allocation.' I hope I've got enough money to pay for this. I do that often, spend money and then wonder whether I have it to spend. I mess about in the car, looking for the cheque book. Bigw is prattling on about something.

'We're in a garage, Bigw.'

When I go to the counter, the man says it's not a cheque he wants, it's a card. You don't need to write cheques any more, the card by itself is fine. Look, there's a special machine here for it. I hurry back to the car to look for the card.

'Are those flowers over there?'

'Yes, Bigw. Have you seen my bag anywhere?'

She tries to push some money into my hand.

'No, I'm fine, Bigw, you don't have to give me anything. I just want my card – my bank card.'

I haven't understood her.

'Would you buy me flowers?'

'Bloda?'

'Mi fydd angen bloda arnom ni.'

Wrth gwrs bydd angen bloda arnom ni. Dwi ddim yn cofio am y pethau 'ma. Dydyn nhw ddim yn fy myd i.

'Pa floda ydach chi isio?'

'Fasa well i mi ddod allan i weld?'

''Randros, peidiwch â thrafferthu, mi gaf i rywbeth i chi rŵan.'

Dyna beth fyddai embaras. Be ydi'r pwynt iddyn nhw berffeithio'r System a chymryd blynyddoedd i ddyfeisio peiriannau sy'n arbed yr holl amser 'da chi'n ei gymryd i lenwi siec, os ydach chi'n mynnu dod â'ch hen fodryb naw-deg-rwbath allan efo chi i ddewis bloda? Yn y diwedd, dwi'n cael ryw fath o floda iddi, ac yn cael bocsus o ddiod a chreision. Rydw i'n cael talu am y cwbwl efo'r cerdyn a does dim eisiau gwario prês o gwbl. Handi iawn. Mae'r peiriant yn llyncu'r cerdyn ac yn poeri tipyn o bapur allan. Rydych chi'n arwyddo'r papur ac yna'n cael y cerdyn yn ôl. Mewn gwirionedd, dydi o ddim yn cymryd llawer llai o amser na siec. Rwy'n dychwelyd i'r car ac yn dangos y bloda i Bigw.

'Wnaiff rhain y tro, Bigw?'

'Del iawn.'

Mae popeth yn ddel iawn gan Bigw.

* * *

Mae hi'n edrych ar y bloda ac yn dotio atynt. Tydi o'n biti na fasa hithau'n gallu eu gweld? Roedd hi wastad yn dotio at floda. Oedd Harri'n licio bloda? Fedra hi ddim cofio. Doedd hi ddim yn cysylltu Harri efo bloda. Mi fydda hi wedi licio cael rhoi bloda ar fedd Harri, ond chafodd hi erioed weld bedd ei brawd. Chafodd hi ddim mynd i'r cynhebrwng hyd yn oed. Wyddai hi ddim a gafodd gynhebrwng. Cawsant wasanaeth coffa adref. Ond dyn a ŵyr sut ddaru nhw ei gladdu o. Doedd bosib eu bod wedi rhoi cynhebrwng iawn i bob un o'r milwyr, mi fydden nhw wrthi tan ddydd Sul pys. Rhyw ddydd, daeth gŵr i'r drws, gŵr nad oedd hi erioed wedi ei weld o'r blaen.

'Miss Hughes? Ai chi yw chwaer Mr Harri Hughes?' Doedd neb wedi ei chyfarch felly o'r blaen.

Wedi bod yn Ffrainc oedd y dyn yn chwilio am fedd ei dad. Tra roedd yn mynd drwy'r enwau, daeth ar draws enw hogyn o Garneddau, a daeth o hyd i'w fedd. Tynnodd ei lun a cheisio canfod

'Flowers?'

'We'll need flowers.'

Of course we'll need flowers. I don't remember things like that, don't even think about them.

'Which flowers would you like?'

'Perhaps I'd better get out and see?'

'Goodness, don't bother, I'll get you something now.'

That would be embarrassing. What's the point of them perfecting their system and taking years to devise machines to save all the time people take to write cheques, if you insist on bringing your ninety-something great aunt with you to buy flowers? In the end, I get her a bunch of flowers, and cartons of juice and crisps. I pay for the whole lot with my card and don't need to spend any money at all. Very handy. The machine swallows the card and spits out a piece of paper. You sign the paper and get the card back. It isn't much quicker than writing a cheque, really. I go back to the car and show Bigw the flowers.

'Will these do, Bigw?'

'Very pretty.'

Bigw calls everything very pretty.

*   *   *

She looks at the flowers, thinks they're gorgeous. Isn't it a pity that Hanna can't see them? She always loved flowers. Did Harri like flowers? She couldn't remember. She didn't associate Harri with flowers. She would have liked to put flowers on Harri's grave, but she never got to see her brother's grave. She didn't even go to the funeral. She didn't know whether he'd had a funeral. They had a memorial service at home. But God knows how they buried him. They couldn't possibly have given each one of the soldiers a proper funeral, they'd have been at it till Judgement Day.

One day, a man had come to the door, a man she'd never seen before.

'Miss Hughes? Sister of Mr Harri Hughes?' No one had ever greeted her in this way before.

The man had been in France searching for his father's grave. While he'd been going through the names, he came across the name of a boy from Carneddau, and found his grave. He took a picture of it and tried to find out whether the boy still had family

71

oedd gan y bachgen deulu yn dal i fyw yn lleol. Rhoddodd y llun yn ei llaw. Roedd Lisi wedi cael un llun o'r bedd gan y Fyddin, llun du a gwyn o fedd plaen, 'Private Henry Gwilym Hughes, 2nd Battalion, Welsh Regiment. Died in action. Passchendaele.'

Ond roedd y rhain yn luniau gwahanol. Yr oedd llun o'r bedd – mewn lliw y tro hyn, ond roedd llun o'r fynwent hefyd. Am y tro cyntaf, cafodd weld mewn sut fynwent yr oedd Harri'n byw. Welodd hi erioed fynwent debyg. Roedd miloedd o feddau yn rhesi ar resi. Pob un yn garreg wen yn union yr un hyd a'r un maint. Edrychent yn drefnus iawn, yn union fel milwyr mewn rhes. Ni ddychmygodd erioed y gallai cymaint o feddau fod yn yr un man. Sylweddolodd mai un enghraifft ymysg miliynau oedd ei thrallod hi. Ond roedd un peth ar goll. Doedd dim blodau ar y beddau, dim ar yr un ohonynt. 'Roesoch chi floda ar y bedd?' gofynnodd. 'Naddo, byddai hynny wedi ei wneud yn wahanol i'r gweddill,' meddai'r dyn dieithr.

Cymrodd y lluniau a diolchodd i'r dyn a ffarwelio ag o. Welodd hi byth mohono wedyn. Holodd hi ddim beth oedd ei golled ef. Doedd hi ddim eisiau rhannu. Doedd neb wedi mynd drwy'r hyn oedd hi wedi ei brofi. Chwarae teg iddo am fod mor feddylgar hefyd.

*　　*　　*

'Faint oeddan nhw'n gostio?'

'Peidiwch â thrafferthu, Bigw.'

'Mae'n rhaid i mi gael gwybod.' Beth oedd yr ysfa yma ynddi i beidio â bod mewn dyled i neb? Pam na allai hi dderbyn rhodd yn dawel?

Dyna sut y cofiai hi erioed. Mi fydden ni blant yn eistedd yn y parlwr tywyll a bydda Bigw yn estyn ei bag. Byddem yn mynd yn dawel, dawel ac yn edrych ar ein gilydd. Wedi dod o hyd i'w phwrs, bydda Bigw yn cael gafael ar yr arian ac yn gwthio rhywbeth gwirion fel punt, neu bumpunt weithiau, i'n dwylo. Wedyn, heb arlliw o addfwynder, byddai'n dweud reit siarp, 'A dim gair wrth eich Mam'. Fydda Nain yn gallu rhoi rhywbeth mor syml â brechdan neu wy i ni efo mwy o haelioni, a byddem yn teimlo ein bod yn cael rhywbeth arbennig. Efo Bigw, roedden ni'n teimlo ein bod yn gwneud rhywbeth drwg. Byddem yn cadw ei gorchymyn nes dod adref, ond yna byddai'n rhaid egluro i Mam beth oedd y

living locally. He put the photo in her hand. The Army had already sent Lisi one picture, a black-and-white photograph of a plain cross, 'Private Henry Gwilym Hughes, 2nd Battalion, Welsh Regiment. Died in action. Passchendaele.'

But these pictures were different. There was a photo of the gravestone – in colour this time, but there was a picture of the cemetery too. For the first time, she could see what kind of cemetery Harri lived in. She had never seen such a cemetery before. There were thousands of graves, row upon row. Each had a white headstone, exactly the same height and size. They looked very orderly, exactly like a line of soldiers. She'd never imagined there could be so many graves in the same place. She realised that her loss was one among millions. But there was one thing missing. There were no flowers on the grave, not on a single grave.

'Did you put flowers on the grave?' she asked.

'No, that would have made it different from the rest,' said the stranger.

She took the pictures, thanked the man and said goodbye. She never saw him again. She didn't ask about his loss. She didn't want to share. No one had gone through what she'd experienced. But fair play to him for being so kind.

*   *   *

'How much did they cost?'

'Don't worry about it, Bigw.'

'I have to know.'

What was with this strange need not to be in anyone's debt? Why couldn't she accept a gift graciously, without fuss?

That's how she always had been. We children sitting in the dark parlour and Bigw reaching for her bag. We'd get very quiet and look at each other. Once she'd found her purse, Bigw would grasp the money and stuff something silly like a pound, or five pounds sometimes, into our hands. Then without a trace of tenderness, she'd say quite sharply. 'And not a word to your mother'. Nain could give us something as simple as a sandwich or an egg with more generosity, and we would feel that we were getting something special. With Bigw, we felt as if we were doing something bad. We would keep her commandment until we got home, but then would have to explain to Mam how we'd come by this unexpected wealth.

cyfoeth annisgwyl oedd gennym. 'Ylwch be gawson ni gan Bigw.' 'Brensiach annwyl,' fydda Mam yn ei ddweud ac yn cymryd y prês oddi arnom yn syth yn barod i'w roi yn ôl i Bigw tro nesaf.

Wrth gwrs, byddai'r cyfarfyddiad nesaf rhyngom a Bigw yn un anghyfforddus. Byddem yn eistedd mewn rhes ar y soffa fel diffinyddion mewn llys. Yna fe ddeuai Bigw atom yn flin, a gofyn, 'I be oeddech chi eisiau dweud wrth Mami?' a golwg gyhuddgar yn ei llygaid. Gallaf glywed ei llais yn awr, a'r chwithdod o glywed rhywun yn cyfeirio at Mam fel 'Mami'. Byddem yn gymysglyd ein teimladau, wedi ceisio gwneud y peth anrhydeddus, ac wedi llwyddo i bechu'r ddwy ochr. Byddai Bigw yn pwdu efo ni am dipyn, ac yna'n gwneud yn union yr un peth cyn pen diwedd y mis. Roedd yn gas gennym yr holl fusnes. Mae'n rhaid ein bod wedi sylweddoli yn y diwedd ein bod yn cael ein defnyddio fel gwystlon mewn rhyw hen ffrae. Wyddai Bigw ddim beth i'w wneud â'i harian, felly doedd waeth iddi ei roi i'r plant ddim. Ond fynnai Mam ddim cardod o'r fath. Roedd hi'n gallu rhoi popeth i'w phlant heb gymorth Bigw. Ie, rhyw hen fusnes gwirion oedd y cyfan.

*　*　*

'Ylwch, mae 'na chydig o grisps a diod i chi'n fanna, os 'da chi'n teimlo'n llwglyd.'

Rydw i'n estyn y pethau o'r cefn efo un law a'u rhoi ar lin Bigw tra'n llywio'r car o'r garej yn ôl i lif y traffig. Mae pum munud yn mynd heibio.

''Gorwch nhw Bigw,' dwi'n ei ddweud mewn llais uchel. Ddylwn i ddim codi fy llais arni, ond mae mor araf yn deall. Drwy gil fy llygaid, gwelaf Bigw yn edrych ar y pethau am amser hir iawn. Mae'n eu bodio, yn eu troi drosodd, yna mae'n rhoi cynnig ar agor y bag creision. A'n helpo. Mae hi'n cymryd oes i dynnu ei menyg ac yna'n rhoi cynnig arall arni. Anobeithiol. Mi fydda fo'n haws i mi wneud ond rhaid i mi beidio. Rhaid iddi wneud ymdrech drosti ei hun. O'r diwedd, mae'r bag yn clecian agor ac ae'r creision yn tasgu i bob man.

'Bobl bach!' medda Bigw.

Fedra i wneud dim byd ond gwenu.

'Helpwch eich hun,' meddai, a throis fy mhen i edrych arni gan ddal yn ei hedrychiad olwg ddireidus.

Bigw annwyl, wyddwn i ddim p'un ai i chwerthin neu grio.

'Look what Bigw gave us.' 'Well I never,' Mam would say and take the money away from us straight away, ready to give back to Bigw the next time.

Of course, our next meeting with Bigw would be uncomfortable. We would sit in a row on the sofa like defendants in court. Bigw would ask crossly, 'Why did you have to go and tell your Mammy?' with an accusing kind of look in her eyes. I can hear her voice in my ears now, and the embarrassment of hearing someone refer to Mam as 'Mammy'. Our feelings would be all mixed up – we'd tried to do the honourable thing, but had only succeeded in making everyone cross with us. Bigw would sulk at us for a while, and then she'd do exactly the same thing again before the end of the month. We hated the whole business. We must have realised in the end that we were being used as hostages in an old, old quarrel. Bigw didn't know what to do with her money, so she might as well give it to the children. But Mam didn't want that kind of charity. She could give her children everything, with no help from Bigw. Yes, it was all downright silly.

* * *

'Look, there are some crisps and a drink for you there, if you're hungry.'

I reach for the stuff from the back and put them on Bigw's lap as I steer the car out of the garage and back into the flow of traffic. Five minutes go by.

'Open them, Bigw,' I say in a loud voice. I shouldn't raise my voice at her, but she's so slow on the uptake. Through the corner of my eye, I can see Bigw looking at the things for a very long time. She fingers them, turns them over, then tries to open the crisp packet. God help us. She takes an age to pull off her gloves and then gives it another go. Hopeless. It would be easier if I did it, but I mustn't. She must make the effort for herself. At last, the bag bursts open and crisps fly everywhere.

'Heavens above!' says Bigw.

I can't help smiling.

'Help yourself,' she says, and I turned my head to look at her, catching a mischievous look in her eyes.

Dear Bigw, I didn't know whether to laugh or cry. I let the car drive on by itself, and got hold of the drink carton before she made

Gadewais i'r car fynd yn ei flaen ohono'i hun, a gafael yn y bocs diod cyn iddi wneud smonach o hwnnw. Gwthiais y gwelltyn i'r twll a'i sipian yn braf, yna'i basio ymlaen i Bigw. Yfodd hithau ei siâr, a synnu at y blas siarp. Wrth iddi yfed yr hylif trofannol arallfydol oedd yn gymysgedd anghredadwy o bob ffrwyth yn y jyngl, digwyddodd trawsnewidiad gwyrthiol. Tasgodd cudynnau o wallt gwinau hardd o'i phen, toddodd ei sbectol i ddangos pâr o lygaid sionc, esmwythodd ei chroen fel cotwm dan hetar, diflannodd y crychau, a daeth rhyw wytnwch newydd i'w chorff. Gallwn arogli ei ffresni a'i hawydd i fyw. Edrychodd y ddwy ohonom ar ein gilydd a chwerthin a chwerthin heb reswm yn y byd. 'Diawch, tyrd allan o'r car 'ma,' meddwn i a heb i mi sylweddoli, roedd y car wedi gadael y ddaear ac yn gyrru'n hamddenol drwy'r awyr. 'Whî!' meddai hi, 'gafael ynof i!' ac yn lle disgyn fel carreg, cymerais ei llaw ac roeddem fel dau aderyn. Cymerais innau ddracht o'r ddiod wedyn ac roedd mor felys â'r gwin. Gadewais iddo lifo drosof yn rhaeadrau, roedd yr haul mor ddisglair ac yn chwarae gyda ni yn bryfoclyd. 'Y blodau!' gwaeddodd Bigw, ac edrychais i fyny a'i gweld yn bwrw blodau, cafod fawr o flodau amryliw yn ein tagu gyda'u perarogl. 'Dal nhw!' medda fi wrthi a dyma lwyddo i gael gafael ar lawer ohonynt, ond hedfanodd y gweddill i ffwrdd gyda'r awel. Pan ddaethon ni i'r ddaear yn y diwedd, roedden ni ar fryncyn braf, y gwair yn hir ac yn ir o'n cwmpas, fel matres esmwyth. Chwerthin a chwerthin ddaru ni, a finnau'n mwynhau edrych ar Bigw yn hapus, ei gwallt newydd yn siglo yn ôl a blaen fel pendil, a'i dannedd gwyn yn y golwg.

'Yf, Bigw, yf . . .'

Yn y diwedd, rwy'n cymryd ei phen i'm dwylo ac yn torri pennau'r blodau i gyd i ffwrdd. Wedyn, rwy'n eu plethu'n gadwyn ddel yn ei gwallt nes ei bod yn edrych fel brenhines. Mae ei ffrog gotwm ysgafn yn esmwyth i'r cyffyrddiad, ac mae 'na gymaint o hapusrwydd ynof.

'Pwy wyt ti yn ei licio, Bigw?'

'Dydw i ddim yn dweud.'

'Pwy sy'n dy licio di, 'ta?'

'Wn i ddim.'

'Pwy sy'n caru dy wallt hir tywyll ac yn ysu am gribinio ei fysedd drwyddo? . . . Bertie?'

Chwardd Bigw yn bryfoclyd.

'Na, dim ond ffrind ydi o. Os oes rhaid i ti gael gwybod, Ellis ydi o.'

a mess of that as well. I pushed the straw into the hole and sipped gladly, then passed it to Bigw. She drank her share, wondering at its sharp taste. As she drank the otherworldly tropical liquid, an unbelievable mixture of every fruit in the jungle, a miraculous transformation took place. Swathes of beautiful chestnut hair sprang from her head, her spectacles melted away to show a pair of lively eyes, her skin smoothed out like cotton under a hot iron, the wrinkles disappeared, and a new kind of strength clothed her body. I could smell her freshness and her lust to live. We looked at each other and laughed and laughed for no reason at all.

'Come on, let's get out of this car,' I said and before I'd realised it the car had left the earth and was driving leisurely through the air. 'Whee!' she said, 'hold on to me!' and, rather than falling like a stone, I took her hand and we were like a pair of birds. I took a gulp then and it was as sweet as wine. I let it flow over me like waterfalls, the sun, playing hide-and-seek with us, was so dazzling. 'The flowers!' shouted Bigw, and I looked up and saw that it was raining flowers, great showers of flowers of all colours, choking us with their scent. 'Catch them!' I said to her and we managed to catch many of them, but the rest flew away with the breeze. When we came to earth at last, we were on a lovely hillock, the grass around us long and lush, like a comfy mattress. We just laughed and laughed, me enjoying seeing Bigw happy, her new hair swaying back and forth like a pendulum, and showing her white teeth.

'Drink, Bigw, drink . . .'

In the end, I take her head in my hands and cut all the flower heads off. Then I plait them onto a pretty garland in her hair until she looks like a queen. Her light cotton frock is smooth to the touch, and I am filled with so much happiness.

'Who do you fancy, Bigw?'

'I'm not telling.'

'Who fancies you, then?'

'I don't know.'

'Who loves your long dark hair and longs to comb his fingers through it? . . . Bertie?'

Bigw laughs teasingly.

'No, he's just a friend. If you must know, it's Ellis.'

Saib.

'Dwed di, pwy ydi dy gariad di?' medda hi.

'Pwy dwi'n ei garu neu pwy sy'n fy ngharu i?'

'A-ha, yr hen ofid. Dwyt ti ddim yn caru Robin mwyach?'

'Wn i ddim, mae o'n hogyn cyfforddus i fod yn ei gwmni – fatha hen slipars o flaen y tân, ond rwy'n dechrau blino arno.'

'Dwi'n siŵr fasa fo'n licio cael ei gymharu i hen slipar.'

'Mi wyddost be 'dwi'n feddwl.'

A dyna lle rydan ni am oesoedd yn sgwrsio am bethau fydda pobl mewn oed yn eu hystyried yn wirion. Yn sydyn, mae'n dweud wrtho i,

'Cod dy ben.'

'Pam?'

Mae'n rhoi blodyn melyn dan fy ngên.

'Rwyt ti yn ei garu!' meddai wrth weld adlewyrchiad y melyn ar fy nghroen.

'Ti'm yn credu rhyw goel gwrach fel yna,' meddwn i, ac mae'n rhoi ei dwy fraich amdanaf ac yn fy nghofleidio.

*　*　*

Mae yna sŵn erchyll i'w glywed o'r tu ôl i'r car, fel tasa ei waelod o'n crafu ar greigiau garw, ac rydyn ni'n dod i stop. Rydw i'n mynd allan o'r car i weld y difrod.

'O diar, Bigw – pynctiar . . .'

'O, a'n helpo, beth wnawn ni?'

'Newid yr olwyn fyddai'r syniad callaf, debyg gen i.'

Dwi'n estyn y 'nialwch i gyd o gefn y car, yn rhoi cadach ar lawr ac yn rhoi y jac yn ei le.

'Well i chi ddod allan Bigw,' medda fi, cyn codi'r car. Wedi ei chael hi allan, dwi'n sylweddoli nad oes ganddi ddim byd i eistedd arno. A wel, bydd yn rhaid iddi sefyll 'ta, does yna ddim dewis.

Ar ôl rhoi popeth yn ei le, rydwi'n gweld nad oes gen i ddigon o nerth i lacio'r bolltiau. Mae hyn yn digwydd bob tro. Pam mae'n rhaid iddyn nhw eu gosod nhw mor dynn? Mae coesau Bigw ar fin rhoi oddi tani, felly tynnaf fy nghot a cheisio ei chael i eistedd ar y gwair. Y drafferth oedd nad oedd ei chymalau yn plygu. Roedden nhw fel tase nhw wedi rhydu i gyd. Cofiais am ryw siswrn gwyrthiol oedd gan Mam ers talwm, siswrn tylwyth teg fydden ni yn ei alw am ei fod o yn plygu yn fach fach. Fe ddois i o hyd iddo

Pause.

'Tell me, who's your boyfriend?' she says.

'Who do I love, or who loves me?'

'A-ha, the old worry. Don't you love Robin any more?'

'I don't know, he's a comfortable kind of boy – like a pair of old slippers in front of the fire, but I'm starting to get tired of him.'

'I'm sure he'd like to be compared to an old slipper.'

'You know what I mean.'

There we are for ages chatting about things the grown-ups would find silly. Suddenly, she says to me,

'Lift your head up.'

'Why?'

She puts a buttercup under my chin.

'You do love him!' she said, seeing the yellow reflected on my skin.

'You don't believe in an old superstition like that,' I say, and she puts her arms around me and hugs me.

*   *   *

A dreadful sound comes from the back of the car, as if the bottom was scraping against sharp rocks, and we come to a stop. I get out of the car to assess the damage.

'Oh dear, Bigw – a puncture . . .'

'Oh, heavens above, what shall we do?'

'The best thing would be to change the wheel, I reckon.'

I get all the gubbins out of the back of the car, put a rag on the ground and get the jack in position.

'You'd better get out, Bigw,' I say, before I jack up the car. Once I've got her out, I realise she doesn't have anything to sit on. Oh well, she'll just have to stand then, there's no alternative.

After getting everything in the right place, I see I'm not strong enough to undo the bolts. This always happens. Why do they have to screw them in so tightly? Bigw's legs are about to give under her, so I pull off my coat and try to get her to sit on the grass. The trouble was, her limbs wouldn't bend. It was as if they were all rusted up. I remembered this miraculous pair of scissors Mam used to have once upon a time, we used to call them the fairy scissors because they'd fold away into almost nothing. I found them again

79

flynyddoedd wedyn, a methu ei agor o gwbl gan gymaint y rhwd. Roedd corff Bigw yn union fel y siswrn. 'Ron i bron â gwylltio efo hi am fod mor stiff ond nid y hi oedd ar fai.

Bu raid inni aros wedyn yn gwneud golwg druenus ar ein hunain nes i gar stopio. Fuo ni ddim yn hir. Rhaid i mi gofio hynny tro nesa dwi angen help efo'r car – mae gosod hen wreigen naw-deg-rwbath ar y gwair gerllaw yn gweithio'n dda iawn. Newidiodd y Samaritan yr olwyn, ac o fewn dim, roedd y joban wedi ei gwneud.

'Cymrwch ofal o'r hen wreigen, mae hi'n fusgrell eithriadol,' medda'r dyn, fel taswn i ddim wedi sylwi.

'Gobeithio na ddigwyddith hynna eto 'te?' meddai'r hen wreigen fusgrell eithriadol.

'Wyddoch chi byth, mae yna dair olwyn arall ar ôl,' meddwn innau, gan roi winc arni.

Pwy andros oedd Ellis 'ta? Mae o i weld yn y lluniau ac mae pawb yn gwneud llais digalon wrth sôn amdano.

'A phwy ydi hwn yn fama efo chi, Mam?' arferwn ofyn wrth edrych ar y lluniau.

'O, Yncyl Ellis druan ydi hwnna.'

Fel Yncyl Ellis Druan y'i hadwaenid.

'Yncyl Ellis ydi hwn hefyd?'

'Ia . . . ew, oedd o'n ddyn clên.'

'Mam, pwy oedd Yncyl Ellis?'

'Ffrindia Bigw.'

Ac Yncyl Ellis Druan Ffrindia Bigw oedd o wedyn am byth, achos unwaith mae plant wedi cael eglurhad, maen nhw'n fodlon. Aeth blynyddoedd maith heibio cyn i mi edrych ar yr hen luniau rheini eto, a dyfalu wrthyf fy hun fel oedolyn pa fath o ffrind oedd Ellis.

* * *

'Cau'r llyfr a phaid â dod allan, paid meiddio. Aros yna yn y ffrâm sydd wedi ei chuddio dan fy nillad isaf – paid dod o'na. Hen hogyn drwg fuost ti erioed.

'A 'drycha golwg sydd arnot ti, yn felyn i gyd a llwch drosot ti, tithau'n arfer bod yn hogyn mor smart. Be sy'n bod, tyrd yma . . .

'Paid! Cadw i ffwrdd! Cau dy lygaid a phaid edrych arnaf. Dydw i ddim ffit i ngweld, rydw i'n boen i'r llygad. Paid colli'r atgof sydd

years later, but they were so rusted up I couldn't open them at all. Bigw's body was exactly like those scissors. I almost lost my temper with her for being so stiff, but it wasn't her fault.

We had to stand there then, looking pathetic, until a car stopped. We didn't have to wait long. I must remember that the next time I need help with the car – a ninety-something lady on the verge works very well. The good samaritan changed the wheel, and the job was done in a trice.

'You take care of that old lady, she's very frail,' said the man, as if I hadn't noticed.

'Let's hope that doesn't happen again,' said the extremely frail old lady.

'You never know, there are still three more wheels,' I said, giving her a wink.

Who on earth was Ellis then? He's in the photos and everybody talks about him in a sad voice when his name gets mentioned.

'And who's this here with you, Mam?' I used to ask, looking at the pictures.

'O, that's poor Uncle Ellis.'

He was known as Poor Uncle Ellis.

'Is this Uncle Ellis too?'

'Yes – oh, he was such a nice man.'

'Mam, who was Uncle Ellis?'

'Bigw's friend.'

So he was Poor Uncle Ellis Bigw's Friend for ever after that, because once children get an explanation they're satisfied. Many years went by before I looked at those old photographs again, and wondered to myself what kind of friend Ellis had been.

* * *

'Close that album and don't come out, don't you dare. You stay there in that frame hidden under my underwear – don't move from there. You've always been a naughty boy.

'And look at the state of you, all yellowed with dust, and you used to be such a good-looking boy. What's the matter, come here . . .

'Don't! Keep away! Close your eyes and don't look at me. I'm

gen ti ohonof fel yr oeddwn ers talwm. Cofia fi felly pan oeddwn yn wyn a glân.'

'Ddychrynet ti pe gwelet ti fi rŵan. Does gen i ddim corff. Does gen i ddim ffordd o dy garu. Dydw i'n ddim ond esgyrn sychion, ond Lisi, be roeswn i'n awr am gael dy wasgu di ataf, ac iti ddod i lawr efo mi i'r dyfnderoedd fan hyn, lle na welai neb ein gwarth ni, lle cuddiai'r ddaear ein cywilydd. Lle mai dim ond y ni fydd yna . . .

'Rwyt ti mor real i mi rŵan ag y buost ti erioed. Rwyt ti'n ysbryd clên, yn bresenoldeb cynnes sy'n cadw cwmni i mi. Yli beth sydd gen i yn cuddio yn fan hyn – dy gyfflincs di, a'r gragen fach honno a roddaist ti i mi unwaith.'

Cragen? Roddais i ddim mwy na chragen i ti?

'Hon oedd dy anrheg gynta i mi. Mi ddaru ti ngadael i mor sydyn.'

Gad i mi ddod atat.

'Mi ges ti dy gyfle.'

Dwi'n difaru. Gad i mi ddod.

'Paid! neu mi waeddaf ar y Mêtryn. Cadwa i ffwrdd. Chei di ddim dod i mewn.'

Rydw i'n oer ac yn unig.

'Dos oddi yma efo dy esgusodion.'

Paid â'm gwrthod i, yn enw'r nefoedd, PAID!

Ac yna fe gododd o'i gwely yn araf, araf. Doedd wiw iddi wneud gormod o sŵn er ei bod yn teimlo fod clecian ei hesgyrn yn siŵr o ddihuno pawb. Dim ond y smic lleiaf oedd ei angen cyn iddyn nhw ruthro atoch. Roedd wedi cael cerydd o'r blaen am godi yn y nos. Nawr roedden nhw wedi rhoi mat arbennig iddi, mat fyddai'n canu cloch yn stafell y Mêtryn pan fyddai'n sathru arno. Byddai'n rhaid iddi ochel yn awr rhag ei sathru.

Yna, yn araf, O mor araf, mae'n eistedd ar erchwyn ei gwely. Yn araf, O mor araf, mae'n codi ei choban. I fyny ac i fyny gan ddangos ei choesau llawn briwiau i'r byd. Mae'n anodd gwneud hyn heb help y merched, ac mae'r boen yn ei chefn yn brathu'n gïaidd. Llwydda i ddiosg y goban oddi amdani ar wahân i un lawes. Yna, gam wrth gam, mae'n mentro at y ffenest, yn agor peth ar y llenni, ac yn gadael i olau'r lleuad ei chyffwrdd, O mor dyner! Gwêl ei chorff truenus, y bronnau fel dwy leden lipa, ei chroen tenau fel hances bapur, ac amlinell ei hesgyrn brau i'w gweld yn eglur oddi

not fit to be seen. Don't lose the memory of how I used to be. Remember me when I was white and beautiful.'

You'd be horrified if you saw me now. I have no body. I have no way of loving you. I am nothing but dry bones, but Lisi, what I would give now to be able to press you to me, for you to come down to the depths here with me, where no one would see our shame, where the earth would hide our disgrace. Where there would be no one but us two . . .

'You're as real to me now as you ever were. You're a friendly ghost, a warm presence who keeps me company. Look what I've got hidden here – your cufflinks, and that little shell you gave me once.'

Shell? Did I give you nothing more than a shell?

'This was your first gift to me. You left me so suddenly.'

Let me come to you.

'You had your chance.'

I regret it. Let me come.

'Don't! Or I'll shout for Matron. Keep away. I won't let you in.'

'I'm cold and lonely.'

'Get away from here, you and your excuses.'

'Don't refuse me, in the name of heaven, DON'T!

Then she got up slowly, slowly from her bed. She mustn't dare make too much noise, though she felt as if the clicking of her bones would be sure to wake everyone. You only had to make the slightest noise and they rushed in to you. She'd been told off before for getting up in the night. Now they'd given her a special mat, a mat that rang a bell in the Matron's room when she stood on it. She'd have to take care now she didn't stand on it.

Then slowly, oh so slowly, she sits on the side of her bed. Slowly, oh so slowly, she raises her nightdress, showing her bruised legs to the world. It's difficult to do this without the girls' help, and the pain in her back cuts like a knife. She manages to take her nightdress off, all but one sleeve. Then, step by step, she ventures to the window, opens the curtain a little, and lets the moonlight touch her, oh, so tenderly! She sees her sad body, the breasts like two limp fish, her skin thin as a paper handkerchief, with the outline of her brittle bones easily visible underneath. The hair

tano. Mae'r blew oedd yn cuddio ei chywilydd wedi hen fynd, a'i choesau fel priciau.

Mae ysbryd Ellis yn cael ei ddychryn i ffwrdd.

'Dall ei choesau ddim ei dal rhagor, ac mae'n siglo. Ni all achub ei hun rhag y gwymp ac mae'r mat yn dod yn nes ac yn nes. Rhaid iddi beidio â chyffwrdd y mat. Wrth geisio ei osgoi, trawa ei phen yn erbyn braich y gadair. Mae'n disgyn yn glewt ar y llawr. Mewn dim, mae'r gloch wedi canu, mae sŵn traed yn rhuthro i fyny'r grisiau, egyr y drws ac mae'r golau llachar yn ei dallu.

'Miss Hughes! Beth ar wyneb y ddaear ydych chi'n ei wneud?'

Mae sŵn traed o'i chwmpas. Mae ei phen ar y llawr. Mae wedi gwaedu ei hun eto.

'*Naughty girl*, Miss Hughes, *naughty girl* . . .' Y cywilydd. O'r cywilydd.

Llosgwch fy nghorff ar farwor poeth a chwythwch y llwch i'r pedwar gwynt.

that hid her shame has long disappeared, and her legs are like twigs.

Ellis's ghost is frightened away.

Her legs can't hold her any more, and she sways. She can't prevent herself from falling and the mat comes closer and closer. She mustn't touch the mat. In trying to avoid it, she strikes her head against the chair arm. She falls flat on the floor. In an instant, the bell has rung, there's the sound of feet rushing upstairs, the door opens and the bright light dazzles her.

'Miss Hughes! What on earth are you doing?'

There's the sound of feet around her. Her head is on the floor. She's cut herself again.

'Naughty girl, Miss Hughes, naughty girl . . .'

The shame. Oh, the shame.

Burn my body on hot embers and scatter the dust to the four winds.

10

Waeth gen i beth sy'n digwydd ar y daith yma. Rydw i'n falch
'mod i wedi dod â hi – petai ond er mwyn iddi gael gorffwys o'r lle
yna. Dydi o ddim yn iawn fod neb yn cael ei gadw dan y fath
amodau. Roedd ymweld â'r lle yn union fel ymweld â sŵ. Mynd
heibio'r ystafelloedd a chael cipolwg drwy rai o'r drysau cilagored
ar anifeiliaid bach fel petaent yn sbecian allan o'u cewyll. Roedden
nhw i gyd yn fach, i gyd yn ferched, ac i gyd yn anhygoel o hen.

Mi geisiodd hi bob ffordd i beidio mynd yno, ond doedd ganddi
fawr o ddewis. 'Gwnewch un addewid i mi,' meddai hi unwaith pan
oedd yn iau, 'Peidiwch byth â'm gyrru i Gartref.' Ond torri'r
addewid ddaru ni, doedd dim dewis.

Rydw i'n cofio eistedd yn y parlwr yn ein tŷ ni yn disgwyl i'r
ambiwlans oedd i fod i fynd â hi. Dim ond y ni'n dwy oedd yn yr
ystafell, a doedd yna fawr o sgwrs. Syllai arnaf fel hogan fach wedi
digio. Yna, edrychodd i fyw fy llygaid a dweud,

''Da chithau wedi troi yn fy erbyn i hefyd.'

Fedrwn i ddweud dim i amddiffyn fy hun.

*　　*　　*

Mi ddigwyddodd yna beth rhyfedd iawn rai blynyddoedd yn ôl, a
fedra i wneud dim ond adrodd y stori fel y digwyddodd.

Mi godais un bore wedi cael breuddwyd ryfedd, ac fe'i hadroddais
wrth Mam. Yn y freuddwyd, yr oeddwn wedi gweld Bigw ar ei
chwrcwd yng nghongl yr ystafell a golwg druenus iawn arni. Roedd
dynion drwg wedi torri i mewn i'w thŷ ac ar fin ymosod arni.
Gwelais Bigw druan yn codi ei breichiau i amddiffyn ei hun, ac yna
deffrois. Beth amser wedyn, mi ganodd y ffôn. Mr Rowlands oedd
yno, cymydog Bigw. Roedd o braidd yn bryderus ei bod hi'n un ar
ddeg y bore a llenni Bigw yn dal ar gau. Fydde fo'n syniad i ni
ddod draw i wneud yn siŵr fod popeth yn iawn? Aeth fy nhad draw
ar ei union a chanu'r gloch yn nhŷ Bigw. Ni chafodd ateb. Ceisiodd
guro ar ddrws y cefn. Doedd dim ateb i'w gael yno ychwaith. Yn y
diwedd, doedd dim amdani ond torri i mewn i'r tŷ. Llwyddodd i

10

I don't care what happens on this journey. I'm glad I've brought her – if only so she can have a rest from that place. It's not right to keep anyone under those conditions. Visiting that place is exactly like visiting a zoo. Passing the rooms, glancing through the half-open doors at little animals peeping out of their cages. They're all little, they're all women, and they're all incredibly old.

She tried everything to avoid being sent there, but she didn't have much choice. 'Promise me one thing,' she said once when she was younger. 'Never send me to a home.' But we broke the promise: we had no choice.

I remember sitting in the parlour in our house waiting for the ambulance that was coming to take her away. There were just the two of us in the room and we didn't say much to each other. She was staring at me like a very cross little girl. Then she looked right into my eyes and said,

'So you've turned against me as well.'

I couldn't say anything in my own defence.

*   *   *

Something very strange happened some years ago. I can only tell the story exactly as it happened.

One night I had a strange dream. I told Mam about it. In the dream, I'd seen Bigw crouching in the corner of the room, looking absolutely pitiful. Vandals had broken into her house and were about to attack her. I saw poor Bigw raising her arms to defend herself, and then I woke. Some time later, the phone rang. It was Mr Rowlands, Bigw's neighbour. He was rather anxious: it was eleven in the morning, and Bigw's curtains were still closed. Would it be a good idea for us to come over and see that everything was all right? My father went over straight away and rang the bell. There was no reply. He tried knocking on the back door. There was no answer there either. In the end, the only thing for it was to break into the house. He managed to get in and shouted Bigw's name. He

fynd i mewn a gwaeddodd enw Bigw. Teimlodd ryddhad mawr pan glywodd lais egwan o bellafoedd y tŷ. Mentrodd i'w stafell wely, ac yno yr oedd Bigw. Nid oedd yn y gwely, roedd wedi disgyn allan ohono, a gorweddai yn un swp yn y gornel wedi ei chaethiwo rhwng y wal a'r gwely. Yn ei choban ac yn droednoeth, yr oedd wedi fferru ac roedd ei llygaid yn llawn ofn. Am ba hyd tybed oedd hi wedi bod yn gorwedd yn fanno?

'Bigw druan, beth ddigwyddodd?' gofynnodd fy nhad.

'Dynion drwg ddaeth yma a thrio dwyn pethau,' meddai.

Bob tro y bydda i'n dwyn yr hanes yna i gof, mae'n fy rhyfeddu. Beth oedd yna yn clymu Bigw a minnau?

*   *   *

'Dydi hwnna ddim yn edrych yn arwydd da iawn, Bigw.

'Beth sy'n bod?'

'Mwg mawr yn dod o dan y bonet – edrychwch.'

'O diar.'

Roedd hi'n braf rywsut ar Bigw. Waeth befo beth a ddigwyddai, roedd Bigw yn gwbl anabl i wneud dim byd. Y cwbl oedd disgwyl iddi ei wneud oedd dweud 'O diar', a dyna ei chyfraniad hi ar ben. Câi ei hesgusodi o bob sefyllfa. Mi wn i nad oes disgwyl i hen bobl naw-deg-rwbath dorchi eu llewys i drwsio ceir, ond mae'n siŵr ei bod yn braf gwybod nad oes raid i chi bryderu am fod pob gallu i wneud rhywbeth tu hwnt i chi. Af allan o'r car a sylwi ei bod yn pigo bwrw. O'r gorau, o gael dewis, mae'n siŵr fod yn well gen i fod yn bump ar hugain ac yn gorfod trwsio ceir yn y glaw na bod yn gaeth ac yn gwbl anabl i wneud dim.

Codaf y bonet a syllu ar gynnwys y cyfan. Dyna'r peth cyntaf a wnaf pan fo rhywbeth o'i le ar y car. Does gen i fawr o syniad ar beth i edrych, ond mae o'n beth greddfol i godi'r bonet pan ydych mewn trwbwl (ar wahân i'r adeg pan mae gennych bynctiar, wrth gwrs). Mae o o leiaf yn arwydd i eraill eich bod yn bwriadu cael eich hun allan o drybini.

Beth allai fod o'i le tybed? Rydw i'n edrych ar ymysgaroedd y car fel petawn i'n disgwyl i rywbeth roi ochenaid i ddangos poen. Wedi troi pob caead, cofiaf yn sydyn am y tanc dŵr ac agoraf hwnnw. A-ha! Dim dŵr! Does ryfedd ei fod yn stemio cymaint!

'Bigw, oes dŵr i'w gael yn ffrynt y car yna, potelaid o ddŵr . . . Hitiwch befo, mi edrycha i . . .'

was greatly relieved to hear a feeble voice from the depths of the house. He ventured up to her bedroom, and there she was. She wasn't in bed, she'd fallen out of it, and she lay in a heap in the corner, trapped between the wall and the bed. Wearing nothing but her nightdress, with nothing on her feet, she was frozen, her eyes full of fear. How long had she been lying there?

'Poor Bigw, what's happened?' my father asked.

'Thieves came here and tried to steal things,' she said.

Every time I remember this story, it astounds me. What was it that bound Bigw and me together?

* * *

'That doesn't look like a very good sign, Bigw.'

'What's the matter?'

'Lots of smoke coming from under the bonnet – look.'

'Oh dear.'

Bigw was lucky, in a strange way. It didn't matter what happened, Bigw couldn't do anything about it. All she was expected to do was say, 'Oh dear,' and that was the end of her contribution. She was excused all situations. I know that old ninety-something people aren't expected to roll up their sleeves and start fixing cars, but it must be nice knowing that you don't have to worry because you're beyond doing anything at all. I get out of the car and notice that it's started to rain. All right, if I had to choose I'd probably rather be twenty-five and have to mend cars in the rain than be trapped and unable to do anything at all.

I raise the bonnet and stare at what's inside. That's the first thing I do when there's something wrong with the car. I don't have much idea what I should be looking at, but it's an instinctive response when you're in trouble (apart from when you have a puncture, of course). At least it's a sign to other people that you mean to get yourself out of trouble.

What could the matter be? I'm looking at the car's innards as if I expected something to sigh and show where the pain is. Having turned every knob, suddenly I remember the water tank and open that.

Aha! No water! No wonder it's steaming so much!

'Bigw, is there any water in the front of the car, a bottle of water . . . Don't bother, I'll look myself . . .'

'Mi fydd eisiau dŵr ar y bloda yn reit fuan.'

'Mae mwy o'i angen ar y car ar hyn o bryd neu fyddwn ni na'r bloda yn cyrraedd 'nunlle.'

Dim dŵr. Dwi'n gwybod fod o'n rhywle. Mae 'na botelaid fach o ddŵr yma ar gyfer Argyfyngau. A phan mae'n dod yn Argyfwng, fedra i ddim dod o hyd i'r botel. Beth yw'r pwynt trio bod yn drefnus?

Rydw i'n ailgychwyn y car.

'Mae o'n mynd yn iawn tydi?'

Mae'n rhaid fod hon yn ddall. Mae 'na gymaint o fwg bellach fel prin 'mod i'n gweld i lle dwi'n mynd. Mae rhywbeth yn siŵr o ffrwydro.

'Garej ydan ni eisiau – ar frys. Lle mae'r garej agosaf?'

Siarad efo fi'n hun yn uchel ydw i wrth gwrs, ond mae Bigw yn clywed, ac mae'n crafu ei phen yn ceisio meddwl lle mae'r garej agosaf. Ymhen hir a hwyr, pan dwi'n agos at ddagrau, rydan ni'n dod o hyd i un.

Does gan ddyn y garej fawr o fynadd efo fi. Hogan wirion yn anghofio peth mor elfennol, mi fedra i ei glywed o'n dweud wrtho'i hun. Pam na fasa hi'n edrych cyn cychwyn? Mae o'n iawn wrth gwrs. Does gen i ddim esgus. Ond dwi ddim yn licio edrych dan fonet y car cyn cychwyn rhag ofn i mi ganfod rhywbeth o'i le ac mi fydde hynny yn fy ngwneud i'n hwyrach nag ydw i yn cyrraedd pob man. Beth bynnag, 'blaw am bobl fel fi fasa dynion fel fo ddim mewn busnes. Tasa pawb yn cadw ei gar yn berffaith, be fydda hwn yn ei wneud drwy'r dydd? Edrychaf ar ei ddwylo budr medrus yn troi y peth hwn a'r peth arall i sicrhau fod y peiriant yn iawn. Mae o'n dweud wrthyf am danio'r injan ac yn gwrando'n astud arno a'i ben ar dro.

'Dydi o ddim gwaeth, nac ydi?' meddaf wrtho mewn llais gobeithiol.

Mae'r dyn yn pesychu. 'Hmm, nac ydi, ond peidiwch â gwneud peth mor wirion eto, ma'n rhaid i injan gael dŵr. Cariwch botelaid o ddŵr efo chi.'

Does dim pwynt trio dweud wrtho.

'Iawn, llawer o ddiolch i chi.'

Ar ôl y bennod fach yna, awn ymlaen ar ein taith. Rydw i'n ceisio cael Bigw i 'nifyrru i.

'Deudwch ych hanes pan oeddach chi'n byw yn G'narfon, Bigw.'

'Pa hanes?'

Mae'n gwybod yn iawn.

'The flowers will be needing water soon.'

'The car needs it more at the moment. Otherwise the flowers won't be going anywhere, and neither will we.'

No water. I know it's there somewhere. There's a little bottle of water here for Crises. And when there is a Crisis, I can't find the bottle. What's the point of being organised?

I start up the car again.

'It's going all right, isn't it?'

She must be blind. There's so much smoke now that I can hardly see where I'm going. Something's bound to burst.

'We need a garage in a hurry. Where's the nearest garage?'

I'm talking aloud to myself, of course, but Bigw can hear, and she scratches her head, trying to work out where the nearest garage is. Eventually, when I'm close to tears, we find one.

The garage man doesn't have much patience with me. What a silly girl, forgetting something so basic, I can hear him thinking. Why didn't she look before she started off? He's right, of course. I've no excuse. But I don't like looking under the bonnet before I start in case I see something wrong, something that would make me even later than I am. Anyway, if it wasn't for people like me men like him wouldn't be in business. If everyone kept his car in perfect working order, what would he do all day? I look at his dirty, skilful hands turning this knob and that to make sure the engine is all right. He tells me to start her up and listens intently to the engine, his head on one side.

'It hasn't come to any harm, has it?' I ask him in a hopeful voice.

The man coughs. 'No, it hasn't, but don't do anything daft like that again, an engine needs water. Carry a bottle of water with you.'

There's no point trying to tell him.

'Right. Thank you very much.'

After that little incident, on we go with our journey. I try to get Bigw to entertain me.

'Tell me a story about when you were living in Caernarfon, Bigw.'

'What story?'

She knows well enough.

'Yr hanesion rheini fyddwch chi'n licio eu hadrodd amdanoch chi'n blant.'

'Dydw i ddim yn eu cofio.'

Mae'n cofio'n iawn.

'Dowch yn eich blaen. Mae gennych chi storis am smyglars.'

Ac mae Bigw yn dechrau adrodd y storïau, ac rydw innau'n gwrando. Rydw i wedi eu clywed nhw ganwaith, ond dydi o ddim ots. Mi fydda i'n licio gwrando ar ei llais hi yn eu hadrodd. Mi fydda i'n licio ailgreu yr olygfa o'r nos dywyll yn nhref Caernarfon a'r rhes o dai yn Church Street. Prin y sylwch chi ar y llenni wedi eu tynnu fymryn lleiaf yn un ffenest, a thri phlentyn bach yn aros yn eiddgar. Wedi hanner nos, dacw hwy'n dod, y dynion rheini a'r ceffylau du yn tynnu'r hers ddu. Does yna'r un enaid byw allan, feiddiai neb fod o gwmpas efo'r pethau rhyfedd yna yn digwydd ym Mhorth yr Aur. Câi straeon eu lledaenu am farwolaethau a llofruddiaethau ar y môr, a'r modd y cleddid y cyrff hyn yn y dirgel. Ble cawsant eu claddu, wyddai neb. Ond y gwir amdani oedd nad oedd cyrff yn yr eirch o gwbl, chwedlau smyglars yn cael eu taenu yn fwriadol oeddynt i gadw pobl fusneslyd i ffwrdd o'r cei. 'Ron i'n licio'r straeon yma. Wyddwn i ddim faint o wir oedd ynddyn nhw, ond roedden nhw'n straeon da.

'Mi oedd gennych chi stori arall – honno am yr ysbryd yn y cwpwrdd.'

'Na, dwi ddim yn dweud honna.'

Fydda hi byth yn dweud honna, dyna pam yr oeddwn i'n ysu am ei chlywed. Ond doedd dim yn tycio. Mae'n rhaid fod yna atgofion annifyr ynglŷn â hi nad oedd Bigw am eu dwyn i'r wyneb. Tybed allwn i fentro sôn am Ellis . . . ond dydw i ddim yn gwneud. Mae 'na gymaint o atgofion gan Bigw fel 'mod i ofn taro yn rhy agos at y byw. Mae 'na hen ddigon o bobl yn ei phoeni am straeon pell i ffwrdd heb i mi ddechrau arni.

* * *

'Ydych chi'n falch eich bod chi wedi dod allan, Bigw?'

'Mmm,' medda Bigw, fel tasa hi ddim yn siŵr iawn.

'Wel mae o'n well na bod yn y Cartra 'na tydi?' meddwn i yn ceisio ei chael i werthfawrogi'r daith.

'O ydi.'

'Ydi'r lle cynddrwg â hynny?'

'Those stories you like to tell about when you were children.'

'I don't remember them.'

She remembers perfectly well.

'Come on. I know you've got stories about smugglers.'

And Bigw starts to tell the stories, and I listen. I've heard them a hundred times before, but it doesn't matter. I like listening to her voice telling them. I like to imagine the scene: the dark night in Caernarfon and the row of houses in Church Street. You hardly notice the curtains drawn just a tiny bit in one window, and three small children waiting eagerly. After midnight, here they come, the men with the black horses pulling the black hearse. There isn't a living soul around – no one would dare be about with such strange things happening in Porth yr Aur. Stories spread about deaths and murders at sea, and how the bodies were buried in secret. Where were they buried? Nobody knew. But in the end there were no bodies in the coffins at all. They were smugglers' stories, spread on purpose to keep busybodies away from the quay. I liked those stories. I didn't know how much truth there was in them, but they were good stories.

'You had another story – the story about the ghost in the cupboards.'

'No, I'm not telling that one.'

She never would tell that one. That's why I longed to hear it. But she wouldn't budge. There must be unhappy memories associated with it that Bigw didn't want to relive. Do I dare mention Ellis? . . . but I don't. Bigw has so many memories that I'm afraid of getting too near the knuckle. There are plenty of people plaguing her for long-ago stories as it is, without me starting.

*　　*　　*

'Are you glad you've come out, Bigw?'

'Mmm,' says Bigw, as if she wasn't very sure.

'Well, it's better than being in the Home, isn't it?' I said, trying to get her to appreciate the journey.

'Oh, yes.'

'Is it as bad as all that?'

'It's a terrible place.'

'Hen le ofnadwy ydi o.'

'Beth sydd mor ofnadwy yn ei gylch?'

'Bwyd sâl. Dydyn ni ddim yn cael digon o gig.'

Faswn i ddim yn meddwl fod ganddi ddigon o ddannedd yn ei phen i fwyta cig.

'Da chi'n cael digon o de, 'tydach?'

'Paned sâl. Ac amser te, mi gewch chi frechdan dena ddim mwy na'ch bys chi, a bisged os ydach chi'n lwcus.'

'Biti 'de? Ond mae'r genod yn glên efo chi.'

'Hen genod *cheeky* ydyn nhw. Ac maen nhw'n dwyn.'

Dwi'n difaru 'mod i wedi dechrau y sgwrs yma.

'Tydyn nhw ddim yn dwyn, Bigw. Chi sydd ddim yn gwybod lle maen nhw'n rhoi eich pethau chi.'

'Maen nhw'n dwyn popeth gân' nhw afael arno fo. A maen nhw'n byta fy *chocolates* i a'n grêps i. Ac mae pob un o'r *ladies* eraill o'u co.'

Mae hynny'n eitha gwir. Bigw ydi'r calla ohonyn nhw.

*   *   *

Ddylia hi ddim fod wedi cael ei gyrru yno. Roedd o'n beth gwael iawn i'w wneud. Dim ond am ei bod yn syrthio allan o'i gwely – dyna'r unig esgus oedd ganddynt. Ond dyna fo, pwy oedd eisiau hen wreigen i ddifetha eu bywyd? Fydda Hanna ddim wedi ei gadael. Mi ddaeth Hanna a hi yn llawer nes at ei gilydd wedi i'w gŵr farw. Biti iddi briodi o gwbl. Dyn blin oedd o. Tase Harri'n fyw, mi fydda fo wedi gofalu amdani. Ond doedd Hanna a Harri ddim yn fyw, felly ofer oedd meddwl amdanynt. Roedd hi'n ddigon hapus yn byw ei hun, dim ond ei bod hi'n cael damweiniau drwy'r amser. Ond pan ddaeth i'r Cartref, torrodd ei hysbryd. O'r funud y daeth yno, roedd yn gas ganddi'r lle.

Pam nad oedd hi yn ei licio? Hen gwestiwn gwirion. Am nad oedd o'n gartre iddi hi 'te. Fasa Eleni neu ei mam yn fodlon byw yn y fath le? Fasa nhw ddim yn para'n hir yno. Mae pawb arall yn wallgo yno. Roedd hi'n teimlo allan ohoni am nad oedd hi'n wallgo, ac weithiau fe gymrai arni ei bod yn wallgo dim ond er mwyn peidio teimlo'n od. Mae petha felly'n sicr o ddrysu rhywun.

Doedd yna ddim i'w wneud yno. O'r amser roedden nhw'n cael eu codi i'r amser roedden nhw'n cael eu rhoi yn ôl yn eu gwlâu, y cyfan roedden nhw yn ei wneud oedd eistedd yn y parlwr yna yn

'What's so awful about it?'

'Terrible food. They don't give us enough meat.'

I wouldn't have thought she had enough teeth left in her mouth to chew the meat.

'They give you enough tea, don't they?'

'Terrible cup of tea. And at tea time, all you get is a piece of bread and butter no bigger than your finger, and a biscuit if you're lucky.'

'Well, that's a pity. But the girls are kind to you.'

'They're very cheeky girls. And they steal.'

I'm beginning to regret having started this conversation.

'They don't steal, Bigw. It's just that you don't know where they've put your things.'

'They steal anything they can get a hold of. And they eat my chocolates and my grapes. And all the other ladies are mad.'

That's quite true. Bigw is the sanest of the lot.

*　　*　　*

She shouldn't have been sent there. It was a cruel thing to do. Just because she fell out of bed sometimes – that's the only excuse they had. But there you are – who wanted some old biddy ruining their life? Hanna wouldn't have left her. Hanna and she had become a great deal closer since Hanna's husband died. It's a pity she'd married at all. He was an irritable man. If Harri had been alive, he would have looked after her. But Hanna and Harri were dead, so it was pointless thinking of them. She was quite happy living by herself, it was just that she had accidents all the time. But when she came to the Home, her spirit broke. From the minute she got there, she hated the place.

Why didn't she like it? What a stupid question. Because it wasn't her home, of course. Would Eleni or her mother want to live in a place like that? They wouldn't last long there. Everyone else there was mad. She felt out of things because she wasn't mad, and sometimes she'd pretend to be mad, just so as not to feel so odd. That's bound to drive you nuts.

There was nothing to do there. From the time they were woken to the time they were put back in bed, all they did was sit in that parlour looking at each other. She knew every wrinkle in every face by now. People seldom visited, they only came out of duty. The

edrych ar ei gilydd. Fe wyddai am bob crych ym mhob wyneb bellach. Anaml iawn y deuai rhywun yno, dim ond dod yno o ran dyletswydd oedden nhw. Doedd ganddi ddim llai na'u hofn nhw, ac roedd ganddi fwy o ofn y Mêtryn na neb. Roedd honno'n hen g'nawes gïaidd. Dwyn y pethau iddi hi a wnâi'r merched, ac wedyn fe werthai y Mêtryn nhw i siopau ail-law. Roedd hi wedi colli peth wmbreth o bethau. Heb sôn am y cannoedd o bunnau a dalai iddynt bob mis. I ba ddiben y cynilodd ei holl arian yn ystod ei bywyd, dim ond i'w drosglwyddo i gyd i hen ddynes fatha honno ar ddiwedd ei dyddiau? Mi fyddai Eleni yn mynd â hi'n ôl y noson honno a byddent yn ei rhoi yn ei gwely fel pob noson arall. Ni fyddai neb yn holi ei hanes ac yn gofyn lle yr oedd wedi bod, fyddai neb eisiau gwybod. Dim ond cyfri'r dyddiau tan ei myned a wnâi'r Mêtryn, iddi gael y gwely ar gyfer rhywun arall. Does ryfedd nad oedden nhw'n cael llawer o fwyd – doedd y Mêtryn ddim am eu gweld yn byw yn hwy nag oedd raid. A'r holl dabledi – ni wyddai beth oedd eu hanner, ond doedd bosib fod cymaint â hynny yn gwneud lles i neb.

Pam oedd yn rhaid i Eleni ddechrau holi am y Cartref? Roedd hi wedi mynd ymhell oddi yno i'w anghofio. Roedd hi'n berson normal yn mynd am dro mewn car. Nawr, suddodd ei chalon wrth feddwl y byddai'n rhaid iddi ddychwelyd yno. Am ba hyd y byddai hi yno? Roedd ei thŷ yn dal ar gael a byddai'r teulu yn nodio eu pennau yn ddeallus pan soniai am fynd yn ôl yno. Ond chymrai neb sylw ohoni. Roedd yn y Cartref ers tair blynedd bellach. Doedd pethau ddim yn edrych yn obeithiol.

truth was, she was scared of them, and more scared of Matron that anyone. She was a right cruel bitch, that one. The girls stole things for her, then Matron sold them to second-hand shops. She'd lost many, many things. Not to mention the hundreds of pounds she paid them every month. What was the point of saving her money all her life, just to give it all away to a woman like that at the end of her days? Eleni would take her back that evening and they'd put her to bed as they did every evening. No one would ask what she'd been doing or where she'd been, no one would want to know. Matron did nothing but count the days until she snuffed it, so she could have the bed for someone else. It wasn't surprising they didn't get much food – Matron didn't want to see them live any longer than necessary. And all the tablets – she didn't know what half of them were, but that many couldn't possibly do anyone any good.

Why did Eleni have to start asking about the Home? She'd come away from there so she could forget it for a while. She was a normal person, going for a spin in a car. Now, her heart sank at the thought that she'd have to go back there. How long would she be there? Her house was still empty and the family would nod their heads sympathetically when she spoke of going back. But nobody took any notice of her. She'd been in the Home for three years now. Things didn't look promising.

11

Yno y bydd hi rŵan. 'Daiff hi byth o'na. Fanna bydd hi tan ddydd ei marw. Mae hi'n dal i sôn am fynd adre druan. Beth ydi'r ysfa ddychrynllyd 'ma mewn hen bobl i gadw eu cartrefi? Annibyniaeth siŵr o fod. Ond roedd o'n hen dŷ tamp, anghyfforddus, ac yn oer drwy'r amser. Yn y Cartref, fe gâi fwyd a gwres, a byddai rhywun yn meddwl y byddai'n falch o'r gwmniaeth.

*   *   *

Y ci oedd yr unig un wnaeth hi ffrindiau go iawn efo fo – labrador mawr du o'r enw Jumbo. Deuai Jumbo ati bob cyfle a gâi ac aros am fwythau ganddi. Jumbo oedd yr unig un call ohonyn nhw. Arferai'r ci eistedd am amser maith wrth ei chadair yn syllu'n ddefosiynol arni. Roedd ganddo lygaid dwys treiddgar a theimlai fod Jumbo yn deall ei thrafferthion. Weithiau, byddai'n siarad efo fo pan nad oedd neb arall yn y stafell, ond hyd yn oed pan oedd y ddau ohonynt yn dawel, ac yn gwneud dim byd ond syllu ar ei gilydd, teimlai fod yna gytgord perffaith. Teimlai yn grand mai hi a ddewiswyd gan Jumbo i fod yn ffrind iddo. Mae cŵn yn gall. Diau ei fod wedi sylwi mai hi oedd yr unig un synhwyrol yn y Cartref.

Un diwrnod, doedd Jumbo ddim o gwmpas, a bu hi'n aros drwy'r bore amdano. Pan nad oedd golwg ohono yn y pnawn, dechreuodd bryderu yn ei gylch a holodd un o'r merched. Dywedodd honno ei fod o gwmpas y tŷ yn rhywle. Ond welodd hi ddim golwg ohono y diwrnod hwnnw na'r diwrnod wedyn a synhwyrodd fod rhywbeth yn bod. Bob tro yr holai am Jumbo, roedd pawb fel petaent yn ei hosgoi. Doedd dim amdani yn y diwedd ond mynd i holi'r Mêtryn. Estynnodd am ei phulpud, ond ni allai ei gyrraedd. Trodd i ofyn am help gan Mrs Humphreys ond roedd honno'n cysgu'n drwm. Pwy fyddai yn ei helpu? Mewn awr, byddai yn amser paned. Bu'n pendwmpian am dipyn a phan edrychodd ar ei wats eto, dim ond chwarter awr arall oedd yna tan amser paned. Dyna falch oedd hi o weld Jane yn dod i mewn gyda'r hambwrdd. Tywalltodd gwpaned o de i bawb ac yn y diwedd daeth ei thro hi.

11

That's where she'll be for ever now. She'll never leave it. That's where she'll be until the day she dies. She still talks of going home, poor thing. What is this terrible longing old people have to keep their homes? Independence, probably. But it was a damp, uncomfortable old house, always cold. In the Home, she'd have food and warmth, and you'd think she'd be glad of the company.

*   *   *

The dog was the only one she really made friends with – a big black labrador called Jumbo. Jumbo came to her every chance he got, waiting for her to pet him. Jumbo was the only sane one among them. The dog would sit for ages by her chair staring at her devotedly. He had soulful eyes, eyes that looked right into you. She felt Jumbo understood her troubles. Sometimes, she'd talk to him when there was no one else in the room, but even when they were both quiet, just gazing at each other, she felt they were in perfect harmony. She felt grand that Jumbo had chosen her to be his friend. Dogs are wise. But then no doubt he'd noticed that she was the only sane one in the Home.

Then one day, Jumbo didn't come. She waited for him all day. When there was no sign of him in the afternoon, she started worrying, and asked one of the girls. She said he was somewhere about the house. But she didn't see him at all that day or the next and she sensed there was something wrong. Every time she asked about Jumbo, it was as if everyone was avoiding her. There was nothing for it in the end but to go and ask Matron. She reached out for her Zimmer frame, but she couldn't quite touch it. She turned to ask for help from Mrs Humphreys but she was sleeping soundly. Who would help her? In an hour, it would be time for tea. She dozed for a bit and when she looked at her watch again, there was only a quarter of an hour to go until teatime. She was so glad to see Jane coming in with the tray. She poured a cup of tea for everybody and in the end her turn came.

'Jane, fasach chi ddim yn pasio'r pulpud i mi plîs?'

'I be ydach chi isio fo, Miss Hughes bach?' gofynnodd honno.

'Jest isio mynd am dro bach.'

'Ga i un o'r genod i helpu rŵan.'

Daria, roedd hi wedi camddeall. Mewn dipyn, daeth Jane a Linda ati a'i chodi i'r gadair olwyn. 'Dyna chi, fyddwn ni fawr o dro.' Cafodd ei gwthio ar hyd y coridor i'r stafell fechan ar y pen. Gafaelodd Jane a Linda ym mhob braich a'i gosod ar y pan. Yna, aethant allan am sgwrs.

Go daria las, roedd popeth wedi mynd o chwith. Beth oedd hi'n mynd i'w wneud yn awr?

'Wedi gorffen!' gwaeddodd a daeth Jane a Linda i mewn, ei sychu a'i chodi. Edrychodd Linda i mewn i'r pan. 'Miss Hughes, 'da chi ddim wedi gwneud diferyn – oeddech chi eisiau mynd go iawn?'

Doedd Lisi ddim yn ateb genod mor ddi-fanars, ac roedd hyn yn eu gwylltio nhw fwy. 'Rydan ni wedi dweud wrthych chi o'r blaen, Miss Hughes,' meddai Linda wrth ei gosod yn ôl yn y gadair, 'mae ganddon ni hen ddigon o waith heb fynd â chi yn ôl ac ymlaen i'r toilet am drip.'

Doedd dim diben dweud wrthynt. Wrth fynd drwy'r coridor, roeddent yn agos iawn at ddrws y Mêtryn.

'Dwi isio mynd i weld y Mêtryn,' meddai hi.

'Na, 'da chi ddim yn mynd i gario straeon amdanom ni – mi fydda'r Mêtryn yn dweud yn union yr un peth wrthych chi. Mae o'n hen ddigon o waith mynd â chi gyd i'r toilet pan mae raid heb ryw lol fel hyn.'

Yn ddigon diseremoni, cafodd ei gwthio yn ôl i'r parlwr a'i rhoi yn ei chadair.

'Beth sydd wedi digwydd i Jumbo?' gofynna.

Edrychodd Jane a Linda ar ei gilydd. 'Mae hi'n dal i fwydro am y ci,' meddai Jane yn Saesneg wrth ei chyfaill, yn union fel petaent yng ngŵydd plentyn dwyflwydd. 'Dweud wrthi bod o wedi mynd at y Fet,' atebodd Linda. 'Mae o wedi mynd at y Fet,' atebodd Jane.

'Dydw i ddim wedi ei weld ers dau ddiwrnod.'

'Peidiwch chi â phoeni, mi hola i'r Mêtryn yn ei gylch.'

Ymhen dipyn, roedd pawb yn y parlwr yn gwybod fod Miss Hughes yn mynd i fynd i weld y Mêtryn. Cês oedd Miss Hughes, roedd yna fwy o fywyd ynddi hi nag yn yr un ohonyn nhw. Er ei bod dros ei deg a phedwar ugain, roedd hi'n dal i allu symud o gwmpas gan ennyn eiddigedd pawb arall. Doedd yr un ohonyn nhw

'Jane, you wouldn't pass me my walking frame, would you?'

'What do you want it for, Miss Hughes, dear?' she asked.

'I just want to go for a little walk.'

'I'll get one of the girls to help you now.'

Damn, she'd misunderstood. In a little while, Jane and Linda came to her and raised her from the chair into a wheelchair. 'There you are, we won't be long.' She was pushed along the corridor to the toilet at the far end. Jane and Linda grasped her by an arm each and put her on the pan. Then they went out for a chat.

Damn it, it had all gone wrong. What was she going to do now?

'I've finished!' she shouted and Jane and Linda came in, wiped her and picked her up. Linda looked into the pan. 'Miss Hughes, you haven't done a drop – did you really want to go?'

Lisi didn't answer such impertinent girls, and this infuriated them even further. 'We've told you before, Miss Hughes,' Linda said, putting her back in the chair, 'we've got more than enough work without taking you back and forth on a trip to the toilet.'

There was no point in telling them. As they went down the corridor, they were very close to Matron's door.

'I want to see the Matron,' she said.

'No you don't, you're not going to tell tales about us – Matron would tell you exactly the same thing. It's more than enough work taking you all to the toilet when you have to go, without a silly carry-on like this.'

She was pushed unceremoniously back to the parlour and put in her chair.

'What's happened to Jumbo?' she asked.

Jane and Linda looked at each other. 'She's still going on about the dog,' said Jane in English to her friend, as if they were in the presence of a two-year-old. 'Tell her he's gone to the vet,' answered Linda. 'He's gone to the vet,' said Jane.

'I haven't seen him for two days.'

'Don't you worry, I'll ask Matron about him.'

In a bit, everyone in the parlour knew that Miss Hughes was going to see Matron. Miss Hughes was a case, there was more life in her than any of the others. Although she was over ninety, she could still get about, which made everybody else envious. None of them could do anything. Miss Hughes could

yn gallu gwneud dim byd. Mi fydda Miss Hughes yn gallu gweu, mi fydda hi'n dilyn beth oedd ar y teledu go iawn, mi fydda hi'n cael fisitors, ac roedd 'na sôn ei bod yn ddynes beniog. Fe glywyd si ei bod hi'n gallu sgwennu hyd yn oed. Roedd Miss Hughes yn colli'r ci yn arw iawn.

'Mrs Humphreys, 'da chi'n meddwl fedrwch chi fy helpu i i gael gafael ar y pulpud?' Cododd Mrs Humphreys ei phen ryw fodfedd neu ddwy. Roedd hi wastad yn atgoffa Lisi o grwban anferth gyda myrdd o blygiadau o wlân o amgylch ei gwddf. Anodd oedd dweud lle roedd y dillad yn gorffen a Mrs Humphreys yn dechrau. Roedd ganddi gefn crwb hefyd. 'Falle mai dyna oedd yn ei hatgoffa o grwban. Prin y gallai Mrs Humphreys symud ei chorff. Yr oedd hi wedi bod yn wirion yn gofyn iddi.

'Miss Hughes! Miss Hughes!' Beth oedd Sali May eisiau rŵan? Mi fasa honno'n busnesu.

Mae Lisi yn ei hanwybyddu.

'Ydach chi'n mynd i weld y Mêtryn, Lisi?'

'Meindiwch y'ch busnes.'

'Newch chi ofyn iddi os oes 'na lythyr i mi?'

Sali May ddwl. Pwy fasa'n sgwennu ati hi?

Drws nesaf i Mrs Humphreys, mae Ella Griffiths yn eistedd fel brenhines a'i llygaid slei yn symud o un i'r llall. Mae'n sylwi fod Lisi yn ceisio cael help gan Mrs Humphreys, ac yn codi ei haeliau i holi beth sy'n bod. Mae Lisi yn ateb drwy edrych ar y pulpud. Ffrâm gerdded oedd y 'pulpud' gyda phedair troed haearn a oedd yn help i gadw balans. Ni allai fynd i unman hebddo. Roedd yn rhaid iddi ei gael. Ond gan mai hwn oedd yn ei galluogi i fynd o un lle i'r llall, gwnâi'r merched yn siŵr ei fod yn ddigon pell o'i gafael.

'Helpwch Lisi, Mrs Humphreys,' meddai Ella Griffiths yn awdurdodol. Rowliodd pen Mrs Humphreys i un ochr ac yn ôl, yn union fel marblen yng ngwddw potel. Mae Lisi yn ceisio ei gorau i ymestyn at y pulpud, ac yn y diwedd yn llwyddo i'w daro yn ddigon egar nes ei fod yn syrthio i'r llawr. Mae'r pulpud wrth ei thraed yn awr, ac er fod plygu yn peri'r fath boen iddi, mae Lisi'n benderfynol o gael gafael arno.

Mae llygaid pawb arni – Ella Griffiths yn gwylio pob symudiad; Sali May yn y pen arall yn gweddïo na fasa hi'n llwyddo; Myfanwy yn siglo yn ôl ac ymlaen heb ddeall beth sydd yn digwydd; Mrs Humphreys yn syllu i'r unfan.

Yn araf, araf, mae bysedd Lisi yn cyffwrdd y metal. Yn araf,

knit, she could really follow what was going on on the telly, she had visitors and they said she was a brainy woman. There'd even been talk she could write. Miss Hughes really missed that dog.

'Mrs Humphreys, do you think you could help me reach my frame?' Mrs Humphreys raised her head an inch or two. She always reminded Lisi of an enormous tortoise with fold upon fold of wool around her neck. It was difficult to tell where the clothes ended and Mrs Humphreys began. Her back was hunched, too. Maybe that's what reminded her of a tortoise. Mrs Humphreys could barely move her body. She'd been stupid to ask her.

'Miss Hughes! Miss Hughes!' What did Sali May want now? She would want to stick her oar in.

Lisi ignored her.

'Are you going to see the matron, Lisi?'

'Mind your own business.'

'Will you ask her if there's a letter for me?'

Stupid Sali May. Who'd write to her?

Next door to Mrs Humphreys, Ella Griffiths is sitting like a queen with her sly eyes moving from one to the other. She notices that Lisi is trying to get help from Mrs Humphreys, and raises her eyebrows to ask what's wrong. Lisi answers by looking at the walking frame. She couldn't go anywhere without it. She had to have it. Because it let her move about the place, the girls made quite sure it was far enough out of her reach.

'Help Lisi, Mrs Humphreys,' said Ella Griffiths authoritatively. Mrs Humphreys's head rolled to one side and back again, just like a marble in a bottle neck. Lisi tries her best to reach the frame, and in the end suceeds in striking it hard, so that it falls to the floor. The frame is by her feet now, and although bending down gives her so much pain, Lisi is determined to get hold of it.

Everyone's eyes are on her – Ella Griffiths is watching every move; Sali May at the other end is praying she doesn't succeed; Myfanwy is rocking back and forth without understanding what's happening; Mrs Humphreys is staring into space.

Slowly, slowly Lisi's fingers touch the metal. Slowly, slowly she tries to pick up the frame, but her grasp isn't strong enough. She gives it one last try, her fist closes on her stick, and at last she

araf, mae'n ceisio codi'r ffrâm, ond nid yw ei gafael yn ddigon cryf. Mae'n rhoi un cynnig olaf arni, mae ei dwrn yn cau am y ffon, ac o'r diwedd, mae'n llwyddo. Mae'n gosod y pulpud ar ei draed. Da iawn ti, Lisi! Da iawn ti! Dangos i'r gweddill fod rhywun yn y lle 'ma yn gallu gwneud rhywbeth ar ei ben ei hun. Dos Lisi, dos!

Tydi hi fawr gwell na chrwban ei hun. Mor afrosgo, mae'n troi y pulpud nes ei fod yn ei wynebu, ac yna gydag ymdrech eithriadol, mae'n llwyddo i godi ei hun allan o'r gadair. Mae'n gweddïo na ddaw un o'r merched i mewn i'r stafell yn awr, ond mae hynny'n annhebygol iawn. Anaml y deuent i darfu arnynt.

Crwban araf ond penderfynol a droediai ei ffordd ar draws y stafell. Gam wrth gam, pwyll pia hi, mae'n cyrraedd y drws ac yn taflu edrychiad gorfoleddus i gyfeiriad Sali May. Tu ôl iddi, mae'n clywed eu lleisiau.

'Newydd fod yn y toilet mae hi.'

'Oes rhywbeth yn bod arni?'

'Ddim i'r toilet mae hi'n mynd.'

'Mynd i weld y Mêtryn mae hi.'

'Mêtryn? I be mae hi isio gweld y Mêtryn?'

'Chaiff neb wybod.'

'Braf arni yn gallu symud.'

Pan mae Lisi ar fin cwblhau'r broses o fynd drwy'r drws, mae'n teimlo rhywbeth yn cydio yn ei sgert. Myfanwy sydd yna.

'Mêtryn . . . gofynnwch i Mêtryn,' meddai yn ei llais maharen.

'Myfanwy, rhowch y gorau iddi. Gadewch lonydd i mi!'

'Gofynnwch i Mêtryn pryd ma 'nhrên i'n mynd.'

'Gollyngwch fi'r funud hon, Myfanwy!'

Ac mae Myfanwy yn dechrau ar ei salm.

'Two thirty . . . the train departing at platform four is the two thirty to Chester . . . calling at Lanfairfechan, Penmaenmawr, Landudno Junction . . . Beth sydd ar ôl Landudno Junction?'

Ac yn niffyg dim byd gwell i'w wneud, mae pawb yn ymuno i gydadrodd y siant.

'Deganwy, Landudno Junction, Colwyn Bay, Ryl, Prestatyn, Flint, Crewe. All passengers change at Crewe. Passengers are asked *not* to put their heads out of the window.'

Nytars, bob un ohonyn nhw, meddyliodd Lisi wrth ganfod ei gwefusau hithau hefyd yn dweud y geiriau. Yn araf, araf, gyda chymorth y pulpud, mae'n cerdded i lawr y coridor ac yn clywed eu lleisiau cras yn mynd ymhellach ac ymhellach.

succeeds. She sets the frame up. Good for you, Lisi! Good for you! Show the rest of them that someone in this place can do something by herself. Go, Lisi, go!

She's little better than a tortoise herself, she's so clumsy. She turns the frame round until it faces her and then with a superhuman effort she manages to get herself out of her chair. She prays that none of the girls comes into the room now, but that's very unlikely. They don't often bother the residents.

It was a slow but determined tortoise that inched its way across the room. Step by step, easy does it, she reaches the door and throws a triumphant look in Sali May's direction. Behind her, she hears their voices.

'She's only just been to the toilet.'

'Is there something wrong with her?'

'She's not going to the toilet.'

'She's going to see Matron.'

'Matron? Why does she want to see Matron?'

'She won't tell anyone.'

'She's lucky she can move.'

When Lisi is just on the point of manoeuvring herself through the door, she feels something clutching at her skirt. It's Myfanwy.

'Matron . . . ask Matron,' she said in her bleating voice.

'Myfanwy, give over . . . Leave me alone!'

'Ask Matron when my train is leaving.'

'Let me go this minute Myfanwy!'

And Myfanwy begins her recitation.

'Two thirty . . . the train departing at platform four is the two thirty to Chester . . . calling at Lanfairfechan, Penmaenmawr, Landudno Junction . . . What's after Landudno Junction?'

And as there's nothing better to do, everyone joins in the chant.

'Deganwy, Landudno Junction, Colwyn Bay, Ryl, Prestatyn, Flint, Crewe. All passengers change at Crewe. Passengers are asked *not* to put their heads out of the window.'

Nutters, every one of them, thought Lisi as she found her lips, too, reciting the words. Slowly, slowly, with the help of the frame, she walks down the corridor and hears their harsh voices getting farther and farther away.

'The buffet carriage is situated at the rear of the train and will soon be serving hot drinks and fresh sandwiches . . .'

Waeth iddi heb â brysio. Wnaiff hi 'mond disgyn.

O'r diwedd, mae'n cyrraedd pen ei thaith ac yn curo ar ddrws stafell y Mêtryn.

'Come in!'

Fedar hi ddim, ddynes wirion. Pam nad agorwch chi'r drws gan fod gennych chi ddwy fraich a choes holliach – defnyddiwch hwy!

Mae merch yn agor y drws ac mae Lisi yn gweld wyneb y Mêtryn y tu ôl i'r ddesg wedi ei syfrdanu.

'Julie . . . look at this one . . . Beth sy'n bod arnoch chi?'

'Rydw i eisiau gair efo chi.'

Gydag ochenaid fawr mae'r Mêtryn yn dweud wrth Julie am helpu Lisi i mewn.

'Miss Hughes, os ydych chi'n mynnu cerdded o gwmpas fel hyn yn lle gofyn am help y merched, mi fydd yn rhaid i ni eich gyrru chi yn ôl i'r hospital.'

'Rydw i eisiau gwybod beth sydd wedi digwydd i Jumbo.'

Mae'r Mêtryn yn rhoi ei phen yn ei dwylo.

''Da chi ddim yn meddwl fod gen i reitiach pethau i boeni yn eu cylch?'

'Maen nhw'n dweud ei fod o wedi mynd at y Fet, ond mae hynny ddyddia nôl.'

Gan edrych ar Julie, dywed y Mêtryn, 'Mi fydd yn rhaid i mi ddweud wrthi,' ac wrth i Julie nodio, mae'r Mêtryn yn edrych arni yn anghyfforddus.

'Rŵan Miss Hughes, peidiwch ag ypsetio eich hun, ond mae gynnon ni newydd drwg i chi am Jumbo . . .'

Aeth car drosto ddydd Mawrth ac mi gafodd Jumbo ei niweidio yn ddrwg. Bu rhaid mynd ag o at y Fet, a chafodd ei roi i gysgu. Roedd hi'n ddydd Gwener ar Lisi yn cael gwybod.

Pam na fyddai rhywun wedi dweud wrthi? Y noson honno, wylodd Lisi yn hidil. Nid yn gymaint ar ôl Jumbo, roedd yr hiraeth hwnnw'n hen bellach, ond am nad oedd hi'n cyfrif ddigon i rywun drafferthu dweud wrthi fod ei chyfaill gorau yn y Cartref wedi ei ladd.

'The buffet carriage is situated at the rear of the train and will soon be serving hot drinks and fresh sandwiches . . .'

There's no need to hurry. She'll only fall.

At last, she reaches journey's end. She knocks on the door of Matron's room.

'Come in!'

She can't, the silly woman. Why don't you answer the door, seeing as you've got two able-bodied arms and legs – use them!

A girl opens the door and Lisi sees the Matron's face behind the desk, surprise written all over it.

'Julie . . . look at this one . . . What's the matter with you?'

'I'd like a word with you.'

With a great sigh, Matron tells Julie to help Lisi in.

'Miss Hughes, if you insist on walking around like this instead of asking the girls for help, we'll have to send you back to hospital.'

'I want to know what's happened to Jumbo.'

Matron puts her head in her hands.

'Don't you think I've got better things to worry about?'

'They say he's gone to the vet's, but that was days ago.'

Matron looks at Julie and says, 'I'll have to tell her,' and as Julie nods, Matron looks at her uncomfortably.

'Now, Miss Hughes, don't go upsetting yourself, but we have bad news for you about Jumbo . . .'

A car had run him over on Tuesday and Jumbo had been badly injured. They'd had to take him to the vet and have him put to sleep. It was Friday when they told Lisi.

Why didn't somebody tell her? That night, Lisi wept buckets. Not so much for Jumbo – that grief was stale by now – but because she didn't count enough for anyone to tell her that her best friend at the Home had been killed.

12

Rydw i'n troi i edrych arni, ac mae'n cysgu'n drwm. 'Falle fod 'na ormod o wres yn y car 'ma iddi. Dydw i byth yn gwybod ar ba dymheredd mae hen bobl i fod. Mae ei phen hi'n plygu ymlaen, ac mae'n anadlu yn drwm. Mae hi wedi diosg ei menyg ac rwy'n edrych ar ei dwylo cyfarwydd. Tydi o'n rhyfedd fel mae dwylo pawb yn wahanol ac yn dweud cymaint am ein cymeriad ag a wnâ ein wynebau ni? Fasa'r dwylo yna ddim yn gallu perthyn i neb ond Bigw. Maen nhw'n galed ac yn fusgrell ac yn dda i fawr o ddim. Ond fasa Bigw efo dwylo hardd ystwyth ddim yn edrych yn iawn o gwbwl. Mae 'na smotiau brown rhyfedd yn gorchuddio ei chroen. Mae ei ewinedd yn rhy hir ac angen eu torri. Tase crwban efo ewinedd, rhai felly fasa ganddo fo.

Rydw i'n syllu mewn rhyfeddod ar ei wyneb. Fel un yn methu tynnu ei lygaid oddi ar gerflun anhygoel, dwi'n dotio at y modd mae'r wyneb hwn wedi cymryd ei ffurf bresennol. Rydw i'n syllu i mewn i'r hafnau dyfn yn y croen caled, y rhychau croesiog fel hen fap. Does bosib fod y wyneb hwn unwaith wedi perthyn i ferch, i blentyn, i fabi! Pa wyntoedd croes a'i anffurfiodd fel hyn? Mor frau ydyw, fel hen we wedi colli ei sglein. Mae o mor sych â thywod y Sahara, ac yn araf ddadfeilio wrth i mi edrych arno. Yn sownd yn ei haeliau brith, mae darnau rhydd o groen wedi eu dal. Ym mhob rhigol y mae olion cwsg ac olion bwyd wedi eu claddu. Tyf ambell flewyn afreolus o bloryn yma a thraw. Sticia rhai allan o'i thrwyn. Mae gwawr felynaidd ar y cnawd a brychni yn ddotiau drosto. Ar ei gwefus y mae clais piws sydd yno ers cyn cof. Tu ôl i wydrau budr ei sbectol, mae ei llygaid pŵl ar gau. Sut mae hi'n disgwyl gweld unrhyw beth trwy honna? Gallaf glywed hisian a chraclan y peiriant clywed, ac mae'r weiren sydd yn arwain o'i chlust fel tasa weiars ei ymennydd eisoes wedi dod yn rhydd ac yn canfod eu ffordd allan.

Yswn am gael cyffwrdd yn y wyneb hwn, am gael mynd i mewn iddo a thynnu'r cyfnasau llwch a orchuddiai bopeth. Yswn am archwilio'r rhychau hyn a threiddio i mewn i'r person od yma. I gael bod yn un â hi a gweld y byd drwy sbectols seimllyd, i deimlo'r gwynt drwy'r croen caled, i glywed synau drwy graclan

12

I turn and look at her. She's fast asleep: perhaps the car's too warm for her. I never know at what temperature old people should be. Her head nods forwards, and she's breathing deeply. She's pulled off her gloves and I look at her familiar hands. Isn't it odd how everyone's hands are different and say as much about our characters as our faces do? These hands couldn't belong to anyone but Bigw. They're hard and frail and not much good for anything. But a Bigw with beautiful, dextrous hands wouldn't look right at all. Strange brown spots cover her skin. Her nails are too long and need trimming. If a tortoise had nails, that's the kind it would have.

I stare in wonder at her face. Like someone gazing in astonishment at an amazing sculpture, I'm amazed at the way this face has taken on its present form. I gaze into the deep furrows in the hard skin, the criss-cross wrinkles like an old map. How could this face have ever once belonged to a girl, a child, a baby! What cross winds disfigured it into this shape? It's so fragile, like an old web that's lost its glitter. It's as dry as Sahara sand, decomposing slowly even as I stare at it. There are loose flakes of skin stuck in her greying eyebrows. In every wrinkle traces of sleep and food are buried. One or two unruly hairs grow from a pimple here and there. Some stick out of her nose. There's a yellowish cast to the skin, which has freckles dotted all over it. On her lip there's a purple bruise that's been there ever since I can remember. Behind the dirty lenses of her spectacles, her rheumy eyes are shut. How does she expect to see anything through those? I can hear the crackle and hiss of her hearing aid, and the wire that leads from her ear makes it look as if the wires of her brain had already come adrift and started making their way out.

I long to touch this face, to be allowed to plunge into it and pull off the dustcovers lying all over it. I long to explore these wrinkles and seep into this strange person. To be as one with her and see the world through greasy glasses, to feel the wind through the leathery skin, to hear sounds through the crackle of a machine. If I did that,

peiriant. O wneud hynny, byddai'n rhaid i mi ildio rheolaeth dros fy nghyhyrau, rhoi heibio fy ngwytnwch, goddef y dwylo oer a'r cefn fel banana. Mor gaeth yw hi, mor frau, mor unig yn ei gwendid!

O na fyddai yna ffynnon fywiol y gallwn fynd â hi ati a thynnu'r cadachau sych oddi ar ei chorff. Ei gostwng hi i'r dwfr a gadael iddo lifo drosti yn rhaeadrau. Mwytho ei chroen nes teimlo'r meddalwch yn dychwelyd; esmwytho ei hesgyrn i fod yn rhydd o'r pla; rhoi rhin, rhoi bywyd, rhoi ysfa ynddi drachefn. Gymaint yr oeddwn i eisiau rhoi'r lliw yn ôl yn ei gruddiau, ei chroen, a'i gwallt, a gwneud iddi anadlu eto.

Bigw, 'da chi mor bell oddi wrtho i.

* * *

Mae gen i awydd gwneud rhywbeth. Rydw i wedi blino gyrru. Dyna'r fantais o deithio ar drên neu fws. Rydw i'n darllen gymaint llai nawr nag oeddwn i cyn i mi ddechrau gyrru. Rydw i'n hel meddyliau mwy a dydi hynny ddim yn beth da. 'Ron i'n mwynhau'r teithio ar fysus a threnau ers talwm, roedden nhw'n gyfryngau cymaint mwy cymdeithasol na char. Mi fydda rhywun wastad yn dechrau sgwrs efo chi, ac mi fyddech yn cael darlun reit gyflawn o'r ddynoliaeth.

Ar gychwyn taith, mi fydda pawb yn dueddol o gadw iddo'i hunan heb wneud fawr o ymdrech i gymysgu. Ond yn raddol, fesul un fel plu eira, byddem yn dadmar ac yn dechrau toddi i'n gilydd.

Yn aml, byddwn yn dewis hen wragedd i eistedd wrth eu hymyl os byddwn yn teithio ar fy mhen fy hun. Er 'mod i'n licio siarad, fe'i cawn yn anodd i gychwyn sgwrs, ond roedd hen bobl, yn enwedig hen wragedd, wedi perffeithio'r dechneg o sgwrsio. Weithiau, byddwn yn ddigon ffodus i daro ar wreigen fydda wedi paratoi fflasg o de a thamaid o gacen ac a fydda'n fodlon rhannu ei hymborth. Bron na theimlech weithiau mai wedi paratoi'r bwyd ar gyfer ei rannu a fydda'r hen wraig gan cyn lleied a fwytâi. Mi fyddwn i'n licio'r hen wragedd hynny fyddai'n traethu yn ddi-stop am hanes eu bywydau. Anaml y byddai'r hanesion hynny'n ddifyr iawn, ond byddwn wrth fy modd yn gweld yr hen berson yn cael pleser o'r dweud.

Faswn i ddim yn rhoi Bigw yn yr un dosbarth â'r hen wragedd annwyl rheini y deuwn ar eu traws mewn trenau. Byddai'n anodd i unrhyw un ddisgrifio Bigw fel 'annwyl'. Ond roedd yna gymeriad yno, rhyw styfnigrwydd anghyffredin, rhyw ddiawledigrwydd.

I'd have to give up control of my limbs, give up my strength, suffer the cold hands and the back bent like a banana. She is so trapped, so fragile, so lonely in her weakness!

Oh if only there were a fountain of eternal youth where I could take her and pull the dried bandages from her body, lower her into the water and let it flow in cascades all over her. Stroke her skin until I could feel its softness returning; ease her bones free from this plague, infuse her again with the essence of herself, with longing, with life. I so much want to put back the colour in her cheeks, her skin and her hair, to make her breathe again.

Bigw, you are so far away from me.

* * *

I want to do something. I'm tired of driving. That's the advantage of travelling on a train or a bus. I read so much less now than I used to before I started driving. I think a lot more and that's not good. I used to enjoy travelling on buses and trains – they were so much more sociable than cars. Someone would always strike up a conversation with you, and you'd get a fairly full picture of humanity.

At the beginning of a journey, people tend to keep to themselves and not make much effort to mix. But gradually, one by one like snowflakes, we would thaw and begin to melt together.

I'd often choose to sit by an old lady if I was travelling by myself. Although I enjoy talking, I find it difficult to strike up a conversation, but old people, especially old ladies, have perfected the technique. Sometimes I'd be lucky enough to happen on a lady who'd prepared a flask of tea and a bit of cake and who'd be willing to share her snack. Sometimes you'd feel that she'd almost prepared the food to be shared, she ate so little herself. I used to like those old ladies who'd go on endlessly about their lives. Their stories were seldom very interesting, but I used to love seeing their pleasure in the telling.

I wouldn't put Bigw in the same category as those loveable old ladies I came across in trains. It would be difficult for anyone to describe Bigw as 'loveable'. But there was character there, and an unusual kind of determination, a bloody-mindedness. She didn't fit the traditional mould of an old lady who's let time soften her and

Doedd hi ddim yn ffitio'r mowld traddodiadol o hen berson sydd wedi gadael i amser ei feddalu ac sydd wedi derbyn henaint yn raslon. Na, roedd hon yn dal i gicio yn erbyn y tresi, yn ysbryd annibynnol wedi ei chaethiwo yn y corff yna oedd yn dda i ddim. Roedd yn parhau i frwydro, a diystyrai'n sarrug bob ymgais i'w helpu nes gorfodwyd hi i'w dderbyn. Mae gweld ysbryd felly yn cael ei dorri yn dristach na dim.

Mi roddais i gynnig arni un tro i ddatod y jymbl mawr o atgofion oedd yn glymau chwithig yn ei chof.

'Bigw,' medda fi ryw dro pan oedd hi'n aros gyda ni, a chyn i'r pwl rhyfedd hwnnw ddod drosti, 'deudwch wrtha i pwy ydi'r holl bobl 'ma rydach chi'n sôn amdanyn nhw byth a hefyd, yr hen neiniau a'r ewythredd a'r modrybedd diddiwedd.' Mi geisiodd hithau ei gorau i ddweud wrtho i. Ond cyn hir, mi fydda hi wedi drysu a mi fyddwn i wedi stopio gwrando. Palu c'lwyddau oedd hi beth bynnag. Taswn i wedi coelio fersiwn Bigw o hanes, un genhedlaeth fyddai rhyngddi hi a rhyw berson oedd yn byw ddechrau'r ganrif ddwytha.

'Tydi hynny ddim yn gwneud synnwyr, Bigw. Fasa chi ddim yn gallu bod yn nith i Jane Hellena.'

''Rhoswch chi . . .'

'Ryda chi wedi colli dwy genhedlaeth o leia. Pwy oedd y ddynes oedd yn gwisgo menyg drwy'r amser ac oedd yn cerdded yn ei chwsg?'

'Ia, Jane Hellena.'

'Doedd honna ddim yn chwaer i'ch mam.'

'Nac oedd, cneithar i Nain oedd hi.'

'Eich nain chi?'

'Naci, eich nain chi . . . Ia dwch? Ta'ch hen nain chi?'

'Eich *mam* chi fasa'n hen nain i.'

Ac mae'r cwbl wedi mynd yn ffasiwn bonsh fel bod Bigw yn dechrau chwerthin. Mae'n rhy hwyr. Does dim modd i'w stopio. Fydda Bigw ddim yn chwerthin yn aml, ond pan fydda fo'n digwydd, mi fydda'n broses gwbl unigryw. Mi fydda hi'n cau ei llygaid yn dynn ac yn gwasgu ei gwefusau at ei gilydd fel petai hi ar fin tisian, neu mewn poen mawr, a fyddech chi ddim yn siŵr p'un ai crio neu chwerthin fydda'n dilyn. Ond pan fyddech chi'n gweld yr ysgwyddau yna yn mynd i fyny ac i lawr, mi fyddech yn gwybod fod rhywun wedi troi'r injan a bydda'n rhaid aros iddo ddod i ben. Bydda corff Bigw yn crynu drwyddo yn ddireolaeth, a bydda'n cadw ei llygaid a'i cheg ar gau nes yr oedd ofn gennych iddi fostio. Yn y diwedd,

112

accepted old age gracefully. No, she was still kicking against the traces, an independent spirit trapped in that useless body. She was still struggling, and she sullenly ignored every attempt to help her until forced to do so. Seeing a spirit like that being broken is sadder that anything.

I tried once to sort out the great jumble of recollections lying in awkward knots in her memory.

'Bigw,' I said one day when she was staying with us, and before that funny turn took her, 'who are all these people you're always talking about, the old grannies and the uncles and the never-ending aunts?' She did her best to tell me. But before long, she'd get confused and I would have stopped listening. She was telling lies anyway. If I'd believed Bigw's version of history, there would have been only one generation between her and some person living at the beginning of the nineteenth century.

'That doesn't make sense, Bigw. You couldn't be Jane Hellena's niece.'

'Now wait a minute . . .'

'You've missed out at least two generations. Who was the woman who wore gloves all the time and walked in her sleep?'

'Yes, that was Jane Hellena.'

'She wasn't your mother's sister.'

'No, she was Grandmother's cousin.'

'Your grandmother?'

'No, your grandmother . . . was it? Or your great-grandmother?'

'My great-grandmother would have been your mother.'

And it's all such a tangle that Bigw starts laughing. It's too late. There's no way of stopping her. Bigw didn't often laugh, but when she did it was a unique process. She'd close her eyes tightly and press her lips together as if she were about to sneeze, or in terrible pain, and you weren't sure whether she was going to laugh or cry. But when you saw those shoulders moving up and down, you'd know that someone had set the engine going and you'd have to wait for it to end. Bigw's body would shake uncontrollably, but her eyes and mouth stayed tight shut until you were worried she was going to burst. In the end, the room itself would be shaking, and Bigw would open her mouth for air. There was only one tooth in Bigw's mouth, and you very seldom saw it. Bigw had always been proud of the fact that she hadn't needed false teeth. That one tooth was

mi fydda'r stafell ei hun yn crynu, ac mi fydda Bigw yn agor ei cheg i gael gwynt. Un dant oedd yng ngheg Bigw, ac anaml iawn y caech gip arno. Roedd Bigw wedi ymfalchïo erioed na fu raid iddi gael dannedd gosod. Roedd yr un dant yna fel carreg goffa i'w hatgoffa o'r hyn lanwodd ei cheg unwaith, ond roedd mor hen erbyn y diwedd fel ei fod yn felyn ac yn edrych yn unig iawn.

Pan fydda Bigw yn stopio chwerthin, bydda'r crynu yn peidio, bydda ei wyneb mor ddifynegiant â chynt, a byddech yn ceisio cofio beth oedd mor ddigri. Ond dyna fy ymgais dd'wytha i geisio deall y clymau teuluol, a phob tro y cofiaf am yr ymdrech, chwerthin Bigw yw'r unig beth sy'n aros yn y cof.

*   *   *

Ysgydwodd Bigw ei hun yn sydyn. Roeddwn bron wedi anghofio ei bod yn y car efo mi.

'Bobl bach, dwi wedi cysgu!'

Pam ei bod hi wastad yn dweud hynny ar ôl deffro?

114

like a memorial stone to what had once filled her mouth, but by the end it was so old, so yellow and so very solitary.

When Bigw stopped laughing, the shaking would stop, her face would be as expressionless as before, and you'd try to remember what had been so funny. But that was the last time I tried to unravel the family knots and every time I remember the attempt, Bigw's laughter is the only thing that sticks in my mind.

*　*　*

Bigw shook herself suddenly. I'd almost forgotten she was in the car with me.

'Dear me, I've been sleeping!'

Why does she always say that when she wakes up?

13

Mi ddaru ein teulu ni roi cynnig ar ofalu amdani. Mewn cymdeithas wâr, mae disgwyl i chi dalu'r ddyled i'ch hynafiaid yn hytrach na'u gadael ar y domen sbwriel i ryw awdurdod eu cymryd dan ei adain. Dyna sut daeth Bigw i fyw atom ni.

Roedd fy chwiorydd wedi gadael y tŷ – dwy wedi priodi a'r llall yn y coleg. Doedd yna ddim prinder lle, ac roeddwn i o gwmpas i roi help i Mam. Wedi dod o'r ysbyty, treuliai lot o amser yn ei gwely, a phrin eich bod yn sylwi ar ei phresenoldeb. Fy ngwaith i oedd mynd â'i brecwast iddi bob bore. 'Run peth a gâi i frecwast – paned, darn o dôst, ac oren. Fel un oedd wedi bod yn cadw tŷ lojing unwaith, mi fydda Mam yn mynnu fod yn rhaid i'r menyn a'r siwgr fod mewn powlenni bach ar wahân, a bod yr hambwrdd yn edrych yn ddestlus cyn iddo fynd i fyny. Fy ngwaith i wedyn fydda tollti'r llefrith, rhoi siwgr yn y baned, rhoi'r menyn ar y tôst, a thaenu'r marmalêd. Yr unig beth fydda'n rhaid i Bigw ei wneud fydda ei fwyta.

Pan fydda hi efo ni o'r blaen, byddem yn ei helpu i wneud y daith hir i lawr y grisiau o'i llofft, yn ei gosod yn ei chadair wrth y tân, sicrhau fod ei gweu a'i llyfr wrth law, ac yna'n ei gadael yn y parlwr tan amser cinio efo ambell sbec bob yn hyn a hyn i wneud yn siŵr ei bod yn iawn. Roedd hi'n anifail didrafferth iawn i ofalu amdano.

Ond y tro hwn, roedd hi'n prysur ddod oddi wrth ei gilydd. Roedd hi'n mynnu aros yn ei gwely a Mam a minnau yn ei phen yn mynnu ei bod yn codi gan fod y doctor yn dweud fod yn rhaid iddi ymarfer ei chorff ac nad oedd o'n gwneud dim lles i rywun aros yn ei wely drwy'r dydd hyd yn oed os oedd hi bron yn naw-deg-rwbath. Yn y diwedd, bu raid inni ei chodi hi'n hunain a cheisio ei chael i symud ei choesau, ond roedd hi'n gwneud y ffys mwya dychrynllyd ac yn dweud ei bod hi'n cael poen arteithiol. Chwarae teg iddi hi, doedd hi ddim yn un oedd yn arfer cwyno, ac ymhen hir a hwyr dyma'r geiniog yn disgyn fod rhywbeth o'i le. Dyma alw'r doctor a dyma fo'n galw ambiwlans gan fod Bigw wedi torri ei chlun. Ffraeodd y doctor efo'r 'sbyty am iddyn nhw ei rhyddhau hi

13

Our family did try to look after her. In a civilised society, you're expected to repay your debt to your elders rather than leaving them on the scrap heap for the authorities to look after. That's how Bigw came to live with us.

My sisters had left home – two to get married, the other to go to college. There was plenty of room, and I was around to give Mam a hand.

After Bigw came home from hospital, she spent a lot of time in bed. You hardly noticed she was there. It was my job to take some breakfast to her every morning. She always had the same thing – a cup of tea, a piece of toast, and an orange. Mam, who'd once kept lodgers, would insist that the butter and sugar were served in separate little bowls, and that the tray looked tidy before it went up. My job then would be to pour the milk, put sugar in the cup of tea, spread the butter on the toast, and spread the marmalade. All Bigw had to do was eat it.

When she'd been with us before, we'd help her make the long journey downstairs from her room, settle her in her chair by the fire, make sure that her kntting and her book were within reach, and then leave her in the parlour until lunchtime, peeping in every now and then to make sure she was all right. She was a very easy animal to look after.

But this time, she was rapidly falling apart. She insisted on staying in bed while Mam and I nagged her, insisting that she got up because the doctor said she had to take some exercise and that it didn't do a person any good to stay in bed all day even if she was ninety-something. In the end, we had to get her up ourselves and try to get her to move her legs, but she made the most amazing fuss and said the pain was torture. Fair play, she wasn't one to complain much, and in the end the penny dropped that there was something wrong. We called the doctor and he called an ambulance. Bigw had broken her hip. The doctor fell out with the

yn y fath gyflwr a ffraeodd o efo ni am orfodi hen ddynes allan o'i gwely a hithau mor hen.

Doedd hynny ddim yn ddechrau da iawn i'w arhosiad gyda ni. Erbyn iddi ddod allan o'r 'sbyty yr eilwaith, roeddem wedi symud ei gwely i'r parlwr i'w harbed rhag gorfod dringo'r grisiau. Cawsom afael ar gomôd hefyd a'i osod yng nghornel y stafell. Cyn dod â'r hambwrdd brecwast iddi yn y bore, byddem yn dod â dysgl o ddŵr a sebon ati ac yn golchi Bigw a'i sychu. Câi aros yn ei gwely tan amser cinio os oedd hi eisiau. I bob pwrpas, doedd dim angen i Bigw ddod allan o'r stafell o gwbl. Prin fod angen iddi ddod allan o'r gwely. Roeddem ni'n dod â hi i'r parlwr ffrynt iddi gael eistedd o flaen y tân, ond roedd ei holl anghenion corfforol i'w cael o fewn cwmpawd ei gwely.

O ie, a'r tabledi, roedd yna beth wmbreth ohonyn nhw nes fod gennym gerdyn yn y gegin yn y diwedd yn nodi pa faint a pha liw tabledi oedd i fod i gael eu cymryd pa bryd. Y ffordd symlaf oedd eu gosod nhw allan ben bore mewn cwpanau ŵy – tabledi amser brecwast, amser cinio, amser te, ac amser swper, ac roedd yn bwysig iawn peidio â'u drysu a pheidio â'u anghofio.

Wn i ddim hyd heddiw pa nerthoedd hud oedd yn y tabledi hynny a beth oedd diben y fath gyffuriau, ond mae'n rhaid fod rhyw allu cyfrin ynddynt, achos roeddynt yn cadw Bigw yn ei phwyll, neu mi ddaru nhw hynny am gyfnod. Yn anffodus, daeth corff Bigw i arfer gyda hwy a chollodd y cyffuriau eu heffaith. Dechreuodd Bigw grynu mwy, mi gollodd ei gafael ar bethau, collodd ddiddordeb mewn pobl ac aeth i ffwndro. Anodd oedd dweud faint oedd a wnelo hyn â'r cyffuriau, a faint oedd a wnelo fo â'r ffaith fod Bigw dros ei naw deg. Dydw i ddim yn meddwl fod neb yn deall yn iawn, ddim hyd yn oed y doctoriaid. Digwydd yn raddol ddaru hyn i gyd wrth reswm, ond newidiodd pethau o fod yn anodd, i fod yn waeth, i fod yn amhosibl. Yr oedd yn anodd dweud yn aml faint oedd yn salwch gwirioneddol a faint ohono oedd yn Bigw yn bod yn gwbl wirion dim ond am ei bod wedi cael digon ar bopeth.

Cadachau llestri fydda hi yn eu gweu. Arferai fod yn dda iawn gyda'i llaw. Gwelais waith llaw rhagorol ganddi, ond fel yr oedd yn mynd yn hŷn, ni fedrai drin dim byd llai na'r gweill rheini oedd mor dew â pholion a'r gwlân bras i weu cadachau llestri. Ond o leiaf, yr oedden nhw'n gadachau llestri ac yn dda i rywbeth. Mae pawb yn hoffi teimlo eu bod yn gallu gwneud rhywbeth o werth.

hospital because she'd been released in such a condition and he fell out with us for forcing an old lady out of bed at her age.

This wasn't a good beginning to her stay with us. By the time she'd come out of hospital the second time, we'd moved her bed to the parlour to save her from having to climb the stairs. We got hold of a commode too and put it in the corner of the room. Before we brought the breakfast tray in to her in the morning we'd bring a bowlful of soapy water and wash and dry her. She could stay in her bed until lunchtime if she wanted to. To all intents and purposes, there was no need for Bigw to leave her room at all. She barely needed to get out of bed. We'd bring her into the front parlour so she could sit in front of the fire, but all her physical needs were catered for within the ambit of the bed.

Oh yes, and the tablets. There were shoals of them until in the end we had a card in the kitchen with a list of how many tablets, and what colour tablets she was meant to take, and when. The easiest way was to set them out first thing in the morning in egg cups – breakfast time, lunchtime, teatime and suppertime tablets, and it was very important not to mix them up, and not to forget them.

I don't know to this day what magic powers were in those tablets and what the point of those drugs was, but they must have had some secret power because they kept Bigw sane, or they did for a while. Unfortunately, Bigw's body got used to them and the effect of the drugs wore off. Bigw began to tremble more, she lost her grip on things, she lost interest in people and her mind began to wander. It was difficult to tell how much of this was to do with the drugs, and how much was to do with the fact that Bigw was over ninety. I don't think anyone understood properly, even the doctors. Of course this all happened gradually, but things changed from being difficult, to being worse, to being impossible. It was often difficult to say how much was true illness and how much of it was Bigw just being totally daft because she'd had enough of everything.

She used to knit dishcloths. She had been very handy with a needle once. I'd seen some of her handiwork and it was excellent, but as she got older, she couldn't handle anything smaller than knitting needles as thick as poles, and the coarse wool to knit dishcloths. But at least they were dishcloths and good for something. Everyone likes to feel useful.

119

Ond yn y diwedd doedd y cadachau llestri yn dda i ddim, roedd hi'n gwneud smonach llwyr ohonynt, ac yn waeth na hynny roedd hi yn sylweddoli hynny, a rhoddodd y gorau iddi. Yr unig beth a allai ei wneud yn y diwedd oedd darllen. Roedd llyfrau print mawr yn y Llyfrgell ar gyfer pobl bron yn ddall a byddai yn mynd drwy nifer o'r rheini mewn dim. 'Romances' fydda hi'n eu hoffi. Mi fydda un ohonon ni yn mynd i'r Llyfrgell bob wythnos ac yn dod â dewis o bedwar neu bump o lyfrau iddi.

Wna i byth anghofio dod adre o'r gwaith un diwrnod a mynd i'r parlwr gynta i ddweud helo wrth Bigw yn ôl fy arfer i gael y gorchwyl hwnnw drosodd cyn setlo i lawr. Fanno oedd Bigw yn ei chadair yn syllu i 'nunlle.

'Helo.'

Dim ateb.

Roedd hi'n syllu ar rywbeth, yn rhythu arno. Ac meddai, ond nid wrtho i, er mai fi oedd yr unig un yn y stafell,

'A pheidiwch â gwneud hynny byth eto!'

'Bigw . . .'

Doedd hi ddim yn fy ngweld.

'Hen hogyn drwg . . . mi fydda i'n eich curo chi os gwnewch chi hynny eto.'

'Pwy sydd yna Bigw?'

'Hogyn bach drws nesa.'

Collais i f'amynedd yn y diwedd a dweud wrthi am beidio actio mor wirion ac nad oedd hogyn bach drws nesa i'w weld yn unman. 'Radeg yna y sylwais i ar y llyfr llyfrgell. Roedd cornel o'r llyfr, a hwnnw'n un clawr caled, wedi ei rwygo i ffwrdd.

'Bigw, beth sydd wedi digwydd i'ch llyfr?'

'Cymrwch un.'

Edrychais yn hurt arni yn cynnig y llyfr i mi.

''Da chi isio siocled?'

'Beth sy'n bod arnoch chi?'

'Iawn, dim ots gen i, mi bwyta i nhw'n hun,' a gafaelodd mewn dalen a'i rhwygo o'r llyfr.

Mewn dychryn, euthum i ddweud wrth Mam. Ie, fe wyddai. Dyna sut yr oedd Bigw wedi bod yn ymddwyn drwy'r dydd. Doedd dim modd cael unrhyw synnwyr ganddi.

Hwnnw oedd yr arwydd cyntaf.

Wrth wely Bigw yr oedd cloch fach brês. Fi a'i prynodd os cofiaf yn iawn fel anrheg i Mam i addurno'r dresel. Dewiswyd hon fel y

But by the end the dishcloths were no use at all. She made a complete mess of them, and worse still she realised this, and gave up. The only thing she could do in the end was read. The library had large-print books and she'd go through armfuls of these in no time at all. She liked romances. One of us would go to the library every week and bring her back a selection of four or five books.

I'll never forget coming back from work one day and going to the parlour first to say hello to Bigw as I usually did, to get it over with before settling down. There was Bigw in her chair gazing into space.

'Hello.'

No answer.

She was staring at something, gaping at it. And she said, but not to me, although I was the only person in the room,

'And don't you ever do that again!'

'Bigw . . .'

She wasn't seeing me.

'You bad boy . . . I'll beat you if you do that again.'

'Who's there Bigw?'

'The little boy next door.'

I lost my patience in the end and told her not to be so silly and that the little boy next door wasn't anywhere to be seen. It was then I noticed the library book. One corner of the hardback book had been ripped away.

'Bigw, what's happened to your book?'

'Have one.'

I looked at her in amazement as she offered me the book.

'Would you like a chocolate?'

'What's the matter with you?'

'Right then, I don't care, I'll eat them myself,' and she got hold of a page and tore it out of the book.

Scared, I went to tell Mam. Yes, she knew. Bigw had been behaving like that all day. It was impossible to get any sense out of her.

That was the first sign.

There was a little brass bell by Bigw's bed. I think it was a present to Mam, from me, to go on the dresser. This, we decided,

peth mwyaf pwrpasol i Bigw ei defnyddio pan oedd yn ceisio cael ein sylw, a ninnau ddim yn y stafell. Os oedd eisiau cymorth i fynd ar y comôd, yn methu dod o hyd i'w sbectol, wedi colli gwellen, neu ffansi paned – ding a ling, ac roeddem wrth ei hymyl.

Daeth sŵn y gloch honno i ddynodi poendod diddiwedd. Rhywsut, yn gwbl ddiarwybod, llwyddai Bigw i'w chanu ar yr adegau mwyaf anghyfleus. Gyda phob chwarae teg iddi, doedd hi ddim yn ei chanu yn aml o gwbl, dim ond ei bod yn dewis amseroedd cwbl anaddas. Yn aml iawn, byddwn ar fin mynd allan, yn rhedeg i ateb y ffôn, yn cychwyn ar bryd o fwyd, yn arllwys paned i mi fy hun, pan fyddai'r ding a ling diflas yn dechrau canu. Fyddai dim diben mewn gwneud iddi aros, rhag ofn iddi gael damwain. Ond erbyn i chi orffen efo Bigw, byddai eich trefniadau wedi cael eu drysu. Byddai'r ffôn wedi rhoi'r gorau i ganu, byddai eich bwyd neu eich paned wedi oeri, a byddai popeth wedi mynd o chwith. Yn y modd yma y dechreuodd presenoldeb Bigw fynd yn fwrn arnom. Wrth ddisgwyl amdani tu allan tra oedd ar y comôd, byddwn yn syllu am oes ar batrwm y carped neu ar y papur wal ac yn canfod fy hun yn melltithio Bigw am wastraffu cymaint o fy amser.

Mae'n rhaid mai diflasu wnaeth hi yn y diwedd. Mi fydda wedi bod yn ddigon i yrru unrhyw un i fyny'r wal. Am ryw reswm, rydyn ni'n tueddu i feddwl fod hen bobl yn gallu goddef diflastod yn well na'r gweddill ohonom. O wneud y fath gamgymeriad rhaid derbyn y canlyniadau a ddaw

Ding a ling, ding a ling, ding a ling ding ding!

Dau o'r gloch y bore ac rydyn ni'n rhedeg allan o'n llofftydd. Ding a ling a ling . . . beth andros sy'n bod?

Bigw sydd wedi dod allan o'i gwely.

'Wâ! Cerwch o'ma, cerwch o'ma y c'nafon drwg!'

Doedd 'run enaid arall yn y stafell.

'Beth sy'n bod, Bigw?'

'Hogia bach 'na sy'n tynnu arna i.'

'Pa hogia bach?'

'Rheini yn ben y gwely fan'cw.'

'Does 'na neb yna. Ewch i gysgu.'

Aiff pawb yn ôl i gysgu.

Ding a ling a ling. Pedwar o'r gloch y bore.

'Beth sy'n bod Bigw?'

'Hogia bach yn . . .'

'Does na ddim . . .'

was the most appropriate thing for Bigw to use when she wanted to draw our attention. If she wanted help to get on the commode, if she couldn't find her spectacles, had lost a knitting needle, or fancied a cup of tea – ding-a-ling, and we were there by her bed.

The sound of that bell became synonymous with trouble. Somehow, completely unawares, Bigw would manage to ring it at the most inconvenient times. Fair play to her, she didn't ring it at all often, it was just that she chose totally inappropriate times. Often, I'd be about to go out, running to answer the phone, about to sit down to a meal, pouring myself a cup of tea, when the dreary ding-a-ling sounded. It was no use making her wait, in case she had an accident. But by the time you'd finished with Bigw, your arrangements were all to pot. The phone would have stopped ringing, your meal or your cup of tea would have gone cold, and everything would have gone wrong. This is how Bigw began to be a burden on us. As I waited for her outside while she was on the commode I'd gaze for ages at the pattern of the carpet or the wallpaper and find myself cursing Bigw for wasting so much of my time.

She must have got fed up with it in the end. It would have been enough to drive anyone up the wall. For some reason we tend to think that old people can cope better with boredom than the rest of us. If we make this mistake we must accept the consequences.

Ding-a-ling, ding-a-ling, ding-a-ling ding ding!

Two o' clock in the morning and we're running out of our bedrooms. Ding-a-ling-a-ling . . . what on earth is the matter?

Bigw has got out of bed.

'Wah! Go away, go away, you rascals!'

There wasn't another soul in the room.

'What's the matter, Bigw?'

'Those little boys are making fun of me.'

'Which little boys?'

'Those little boys at the bottom of my bed.'

'There's nobody there. Go to sleep.'

We all go back to sleep.

Ding-a-ling-a-ling. Four o' clock in the morning.

'What's the matter, Bigw?'

'Little boys . . . .'

'There aren't any . . .'

Ac felly roedd hi dro ar ôl tro.

Wn i ddim faint oedd hi'n ei fwynhau ar y gêm ond roedd yn gwneud y gweddill ohonom yn wallgo.

Wedyn, mi ddechreuodd hi grwydro.

Ding a ling a ling a ling! Mi fyddech chi'n cyrraedd y parlwr a fanno roedd Bigw ym mhen arall y stafell yn dweud wrth hogia bach am redeg i ffwrdd.

'Ewch yn ôl i'ch gwely, da chi, Bigw bach.'

Gosodwyd bwrdd yn erbyn ei gwely i'w rhwystro hi rhag dod allan. Gosodwyd ochr arall y gwely yn sownd yn y wal. Ond llwyddai Bigw i ddod allan ohono bob nos. Sut oedd dynes naw-deg-rwbath yn gallu dod dros fwrdd tair troedfedd yn y tywyllwch, pan oedd hi prin yn gallu cerdded yng ngolau dydd, wyddai neb. 'Falle ei bod hi fel Batman yn cael galluoedd hud yn y nos.

Mi ddysgodd Batman yn sydyn i beidio canu'r gloch os oedd hi eisiau llonydd i grwydro. Felly, rhaid oedd gosod larwm babi gydag un pen wrth wely Bigw a'r pen arall wrth wely fy rhieni. Fel petai hi'n gwybod beth oedd diben hwn, mi ddechreuodd Bigw siarad efo hi ei hun bymtheg y dwsin. Storïau, caneuon, jôcs, cerddi, englynion, emynau, paderau, parablai unrhyw beth ddim ond i wneud yn siŵr na châi ei gwrandawyr y pen arall lonydd i gysgu. Os oedden nhw am glustfeinio, yna fe fydda'n rhaid iddi eu difyrru. Parodd hyn am tua dwy noson cyn i Mam gael digon.

'Bigw, ewch i gysgu, mae hi wedi un o'r gloch y bore.'

"Mary Mary quite contrary,
How does your garden grow?"

'Bigw, pam nad ewch chi i gysgu?'

"Go oft to the house of thy friends lest weeds grow in the path."

'Bigw, byddwch ddistaw.'

"A wonderful bird is the pelican,
His beak can hold more than his belly can."

'Bigw, 'da ni'n gwneud ein gorau drosoch chi, a dyma sut 'da chi'n talu'n ôl?'

"Clywir sŵn ym mrig y morwydd,
Deulu Seion, ymgryfhewch,
Wele'r wawr yn dechrau codi,
Haleliwia, llawenhewch."

'Bigw . . .'

'Gymrwch chi siocled?'

Yna, mi fydda hi'n troi at y wal a gofyn,

And so it went on, time after time.

I don't know how much she enjoyed the game but it sent the rest of us spare.

Then, she began to wander.

Ding-a-ling-a-ling-a-ling! You'd get to the parlour and there was Bigw the other end of the room telling the little boys to run away.

'Go back to bed, for goodness' sake, Bigw dear.'

We put a table against her bed to stop her getting out. We pushed the other side of the bed against the wall. But Bigw managed to get out of it every night. How a ninety-something-year-old woman managed to climb over a three foot table in the dark, when she could barely walk in broad daylight, was anybody's guess. Perhaps, like Batman, she had magical powers at night.

Batman quickly learnt not to ring the bell if she wanted to wander in peace. So we had to put a baby alarm with one end by Bigw's bed and the other end by my parents'. As if she knew what this was for, Bigw began to talk to herself nineteen to the dozen. Stories, songs, jokes, poems, verses, hymns, prayers, she babbled anything just to make sure that her listeners had no peace. If they wanted to eavesdrop, then it was her job to entertain them. This went on for two nights before Mam had had enough.

'Bigw, go to sleep, it's past one o' clock.'

"Mary, Mary, quite contrary,

How does your garden grow?"

'Bigw, why don't you go to sleep?'

"Go oft to the house of thy friends lest weeds grow in the path."

'Bigw, be quiet.'

"A wonderful bird is the pelican,

His beak can hold more than his belly can."

'Bigw, we do our best for you, is this how you repay us?'

"Guide me, Oh thou great Jehovah

Pilgrim through this barren land

I am weak but thou art mighty

Hold me in thy pow'rful hand . . ."

'Bigw . . .'

'Would you like a chocolate?'

Then, she'd turn to the wall and ask,

'Gymrwch chi siocled, Hanna?'

'Bigw, mi rydyn ni'n mynd i fod yn flin iawn efo chi yn y bore. Mae'n *rhaid* inni gael cwsg.'

Mi fydda hi'n dechrau gwneud rhyw lais crio wedyn.

'Hanna, maen nhw'n gas efo fi yma, dwi eisiau mynd adref.'

Am chwarter i ddau yn y bore, a hithau bron â chyrraedd pen ei thennyn, y peth olaf fydda fy mam eisiau fydda hen ddynes wallgo yn cymryd arni ei bod yn siarad gyda ei mam.

Byddai'n gadael yr ystafell gyda chlep ar y drws. Wedi llwyr ymlâdd, rhoddai ei phen ar ei gobennydd wrth i'r sioe ailgychwyn.

"How many flowers can you count
In an English country garden?"

'Da chi'n cofio honno, Hanna?'

O edrych yn ôl, y syndod yw eu bod wedi ei chadw hi efo ni gyhyd.

Roedd fy nhad yn ŵr rhesymol oedd gyda ffydd sylfaenol yn naioni dynolryw ac yn credu y gallai popeth gael ei setlo drwy gyd-ddealltwriaeth – nes daeth Bigw i rannu tŷ gyda ni.

Tri o'r gloch y bore.

Ding a ling A LING!!

Pan ddaw nhad i'r parlwr, mae Bigw yn eistedd i fyny yn ei gwely.

'Pwy sydd yna?' gofynna, wedi dychryn.

'Ted. Be ydach chi eisiau?'

'Eisiau mynd i ngwely.'

'Be 'da chi'n ei feddwl? Rydych chi yn eich gwely!'

'Na dwi ddim.'

'Ydach, peidiwch â bod yn hurt.'

'Peidiwch â bod yn gas efo mi, da chi. 'Mond isio mynd i ngwely ydw i.'

'Fedrwch chi ddim bod isio mynd i'ch gwely pan 'da chi eisoes ynddo fo.'

Roedd hyn yn wirion.

'O diar mi, pam na cha i fynd i ngwely? Dwi bron â marw eisiau mynd i gysgu.

'Finna hefyd.'

'Gadwch i mi fynd i ngwely, plîs.'

'Bigw – lle ydach chi'n feddwl ydych chi?'

'Wn i ddim, ond fasa'n dda gen i gael mynd i ngwely.'

Mae nhad yn taro'r matres.

'Would you like a chocolate, Hanna?'

'Bigw, we're going to be very cross with you in the morning. We must get some sleep.'

Then she'd start to whimper:

'Hanna, they're cruel to me here, I want to go home.'

At a quarter to two in the morning, when she'd almost reached the end of her tether, the last thing my mother wanted was a mad old woman pretending she was talking to her mother.

She'd leave the room, slamming the door. As she put her head on the pillow, tired out, the show would go on:

"How many flowers can you count
In an English country garden?"

Do you remember that one, Hanna?'

Looking back, the wonder of it is that we kept her with us so long.

My father was a reasonable man, with a fundamental belief in the goodness of humankind. He also believed that everything could be settled by mutual understanding – until Bigw came to live with us.

Three o' clock in the morning.

Ding-a-ling-A-LING!

When my father comes into the parlour, Bigw is sitting up in bed.

'Who's there?' she asks, frightened.

'It's Ted. What do you want?'

'I want to go to bed.'

'What do you mean? You're already in bed!'

'No I'm not.'

'Yes you are, don't be so silly.'

'For goodness' sake, don't be nasty to me, I only want to go to bed.'

'You can't possibly want to go to bed when you're already in it.'

This was ridiculous.

'O dear, why can't I go to bed? I'm dying to go to sleep.'

'Me too.'

'Please let me go to bed.'

'Bigw – where do you think you are?'

'I don't know, but I'd really like to go to bed.'

My father strikes the mattress.

'Gwely ydi hwn Bigw, GWELY. A rydach chi, Bigw, *ynddo* fo. Rydych chi *yn* y gwely. Rŵan ewch i gysgu.'

'Pam ydych chi mor gas efo fi? Plîs gadwch i mi fynd i ngwely!'

Erbyn hyn, mae Mam a minnau i lawr. Rydyn ni gyd yn ceisio ei argyhoeddi hi. Does yr un ohonon ni yn deall.

'Bigw, 'da chi yn y gwely.'

'Bigw, 'da chi yn y gwely.'

'Bigw, 'da chi . . .'

Yn y diwedd, mae Bigw yn rhoi ei phen yn ei dwylo ac yn wylo'n hidil.

'O beth wna i, beth wna i . . . Pam na chaf i fynd i'r gwely?'

A dwi'n meddwl mai'r adeg yna, pan oedden ni yn y sefyllfa abswrd honno, pawb ohonom yn droednoeth yn ein dillad nos yn ysu am gael mynd yn ôl i'n gwelâu, a Bigw – yr unig un oedd yn ei gwely – yn gwrthod yn lân â sylweddoli ei bod ynddo, y daru ni sylweddoli fod y sefyllfa tu hwnt i ni.

Bu raid iddi fynd yn ôl i'r ysbyty, ac wedyn mi ddaru ni ganfod Cartref Henoed fyddai'n fodlon ei chymryd.

Ond nid cyn yr olygfa olaf. Y dyddiau yna, mae'n rhaid fod fy nghorff wedi cyflyru ei hun i beidio â mynd i gysgu yn rhy drwm. Gadawn ddrws fy llofft yn gilagored a thra oedd un ochr o fy ymennydd yn cysgu, roedd yr ochr arall ar ddi-hun ac yn gwrando rhag ofn i Bigw symud. Erbyn yr adeg hynny, roedd gwely Bigw fel rhywbeth allan o sioe Houdini efo bwrdd un ochr, hors ddillad o amgylch y bwrdd, hamoc dros y gwely, a belt o un pen i'r llall i wneud yn siŵr na fyddai Bigw yn codi ac yn crwydro yn y nos.

Rhyw dinc ysgafn, ysgafn glywais i ar y gloch. Falle mai greddf a'm dihunodd. Wrth ddod i lawr y grisiau yn yr hanner gwyll, stopiais yn stond. Fanno roedd Bigw, yn ceisio gofalu am y pulpud gydag un law, a'i handbag a'r gloch yn y llaw arall ac yn ceisio ei gorau i agor y drws ffrynt. Rhedais ati.

'Bigw . . . beth ydych chi'n ei wneud?'

'Gadewch lonydd i mi, rydw i eisiau mynd adref.'

'Ond mi rydych chi adref – ewch yn ôl i'ch gwely. I lle oeddech chi'n trio mynd?'

'I Garneddau.'

Ceisiais dynnu ei llaw oddi ar ddwrn y drws, ond roedd yn gafael ynddo fel gelen.

'Bigw, rydych chi'n saff yma.'

128

'This is a bed, Bigw. A BED. And you, Bigw, are in it. You are *in* the bed. Now go to sleep.'

'Why are you so cruel to me? Please let me go to bed!'

By now, Mam and I are downstairs too. We all try to convince her. None of us understands.

'Bigw, you're in your bed.'

'Bigw, you're in bed.'

'Bigw, you're . . .'

In the end, Bigw puts her head in her hands and weeps bitterly.

'O, what shall I do, what shall I do . . . Why can't I go to bed?'

And I think it was then, when we were in that absurd situation, all of us barefoot in our nightclothes, dying to get back to our beds, and Bigw, the only one of us who was in bed, refusing utterly to believe she was in it – that we realised that the situation was more than we could handle.

She had to go back to hospital, and then we found an old people's home that was willing to take her.

But not before the last scene. By then, my body must have conditioned itself not to sleep too heavily. I used to leave the door to my bedroom slightly open and while one part of my brain slept, the other was awake and listening in case Bigw moved. By that time, Bigw's bed was like something out of a Houdini show, with a table on one side, a clothes horse around the table, a hammock over the bed, and a belt from one end to the other to make sure she wouldn't get up and wander around at night.

I only heard the faintest tinkling. Perhaps it was instinct that woke me. As I came down the stairs in the half light, I stopped in my tracks. There was Bigw, trying to handle the walking frame with one hand, her handbag and the bell in the other hand, trying her level best to open the front door. I ran to her.

'Bigw . . . what are you doing?'

'Leave me alone, I want to go home.'

'But you are home – go back to bed. Where were you trying to go?'

'To Carneddau.'

I tried to take her hand away from the doorknob, but she was clinging to it like a leech.

'Bigw, you're safe here.'

'Dydw i ddim eisiau aros yma. Dda gen i mo fan hyn. Mae'n rhaid i mi fynd adref.'

'Sut ewch chi? Fedrwch chi ddim cerdded.'

'Mi ga i fws bump.'

'Does gennych chi ddim byd am eich traed.'

'Falle mai dyna a'i perswadiodd yn y diwedd. Edrychodd i lawr ar ei thraed noeth. Eglurais ei bod yn oer iawn allan ac na allai hi fynd ar y bws heb ei sgidiau. Tywysais hi'n ôl i'r parlwr a'i rhoi yn y gwely. Anghofiaf i byth yr edrychiad a gefais ganddi. Roedd fel petai wedi cronni yr holl atgasedd oedd ynddi tuag atom ni fel teulu, at y tŷ, ac at ei thynged, yn yr edrychiad hwnnw.

Y diwrnod wedyn, daeth yr ambiwlans.

Nes ei gweld hi yn sefyll yn droednoeth wrth y drws fel rhyw anifail egwan yn ei choban, a'i meddwl mewn mwy o lanast nag erioed, ddaru mi ddim deall – dydw i ddim yn meddwl fod yr un ohonon ni wedi deall – gymaint oedd awydd Bigw i fynd adref. Pam na fasan ni wedi ei danfon hi yno, neu ei rhoi hi ar y bys nesa i Garneddau a gadael iddi ddarfod felly? Fydda hi ddim wedi ein trafferthu am hir wedi hynny. Ond o leia, bydda wedi gallu gorffwyso. Be ddaru ni yn lle hynny? Ei danfon yn syth i'r ysbyty, ac wedyn i Gartref. Talu i'w chael hi wedi ei chodi, ei golchi, a'i smwddio bob dydd, ond gwadu iddi'r peth mwya sylfaenol – yr hawl iddi fod mewn heddwch efo hi ei hun.

Fi sydd yn wirion rŵan. Fasa hi ddim wedi bod yn fodlon. Fasa hi ddim yn gwybod mai adref oedd hi. 'Run sioe fasa ni yn ei chael.

'Isio mynd adref . . .'

'Mi rydach chi adref.'

'Gadewch i mi fynd adref . . .'

On'd ydi'r meddwl yn beth rhyfedd? Mae o'r gybolfa mwya rhemp o weiars a lectric a ffiwsys nad oes gennym ni'r un amgyffrediad ohono. Roedd meddwl Bigw wedi hen golli'r cysylltiad hwnnw oedd yn gwneud iddi deimlo ei bod hi 'adref'. Roeddwn i yn amheus a fyddai hi byth yn dod o hyd iddo eto. I raddau, 'ron i'n teimlo mai ein teulu ni, drwy ein gofal ffug, oedd yn gyfrifol ei bod wedi ei golli. 'Falle mai dyna oedd yn fy ngyrru nawr i geisio ei helpu i ddod o hyd iddo.

'I don't want to stay here. I don't like it here. I have to go home.'

'How will you get there? You can't walk.'

'I'll catch the five o' clock bus.'

'You haven't got anything on your feet.'

Maybe that's what persuaded her in the end. She looked down at her bare feet. I explained that it was very cold outside and that she couldn't travel on the bus without her shoes. I led her back to the parlour and put her to bed. I'll never forget the look she gave me. It was as if she'd been saving up all the hatred she felt towards us as a family, towards the house, towards her fate, and it was all in that one look.

Next day, the ambulance came.

Until I saw her standing there barefoot by the door like some cowed animal in her nightdress, her mind more blasted than ever, I didn' t understand – I don't think any of us understood – how much Bigw wanted to go home. Why didn't we take her there, or put her on the next bus to Carneddau and let her end her days like that? She wouldn't have bothered us for long after that. But at least she could have been at peace. And what did we do instead? We sent her straight to hospital, and then to a home. Paid for her to be got up, washed and ironed every day, but denied her the most basic thing of all – her right to be at peace with herself.

Now I'm being silly. She wouldn't have been happy. She wouldn't have known that she was at home. It would have been the same old thing all over again.

'I want to go home . . .'

'You are at home.'

'Let me go home . . .'

Isn't the mind a strange thing? It's the most amazing mass of wires and electricity and fuses that we know nothing about. Bigw's mind had long lost the connection that made her feel that she was 'at home'. I doubted whether she would ever find it again. To some extent, I felt that it was our family, through our fake care, that was responsible for her losing it. Maybe that was what made me, now, try to help her find it again.

14

Ddaru mi ddim sylwi nes iddi stopio glawio fod y pwmp dŵr oedd yn gwlychu'r ffenest flaen wedi stopio gweithio. Ddaru mi ddim poeni'n ormodol am hyn nes ei bod hi'n heulog iawn ac roedd y ffenest yn fudr. Mewn dipyn, roedd hi'n anodd i mi weld lle roeddwn yn mynd. Bob tro yr âi cerbyd heibio i mi, tasgai ddŵr budr dros y ffenest, a'r cyfan a wnâi'r weipars oedd taenu'r baw i ran arall o'r ffenest nes bod y cyfan ohoni bron wedi ei gorchuddio â baw brown. Dyma stopio'r car a cheisio dod o hyd i'r botel honno eto. Doedd dim golwg ohoni. Cofiais yn sydyn fod y bloda yn dal heb ddŵr ac yn prysur wywo ar y sêt gefn.

Mi wnes i beth gwirion wedyn. Gan mai pwll o ddŵr ar ochr y ffordd oedd yr unig beth gwlyb o fewn golwg, gwlychais y cadach ynddo a glanhau'r ffenest efo fo. Gwnaeth hyn y ffenest yn futrach nag oedd hi cynt. Fedrwn i ddim gyrru efo baw felly.

Cerddais at dai cyfagos a gofyn am dipyn o ddŵr. Codais y bonet ac arllwys y cyfan ohono i mewn i'r bocs dŵr. Wedi i mi roi'r bonet i lawr a rhoi popeth yn ôl yn ei le, gwasgais y pwmp dŵr a ddigwyddodd dim byd. Roeddwn i'n ôl yn y dechrau, heb ddiferyn o ddŵr a'r ffenest yn fudr. Dyma orfod mynd yn ôl i'r tŷ am yr ail waith i ofyn am ragor o ddŵr. Lluchiais gynnwys y llestr dros y ffenest nes roedd yn lân ac yn sgleinio ac ailgychwynnais ar y siwrne. O fewn ychydig funudau, roedd mor fudr ag erioed. O hynny 'mlaen tan ddiwedd y daith, rhaid oedd stopio bob yn hyn a hyn i llnau'r ffenest.

Pan welodd Bigw'r dŵr ar y ffenest, mi gofiodd.

'Y bloda,' meddai, 'mae'r bloda yn gwywo,' a dywedodd hynny efo'r fath dristwch fel y'm synnwyd i.

* * *

'Mae'r bloda yn gwywo.'

Y munud y dywedodd hi'r geiriau, roedden nhw'n swnio'n ddychrynllyd o drist. Edrychodd ar Eleni yn tywallt y dŵr dros y ffenest flaen ac ar y dŵr yn dod i lawr yn rhaeadrau fel crio mawr.

14

Until it stopped raining I hadn't noticed that the water pump for the windscreen had stopped working. I didn't worry too much about this until the sun started to shine and I could see the window was dirty. After a while, it was difficult to see where I was going. Every time something passed me, dirty water sprayed over my windscreen, and all the wipers did was spread the dirt to another part of the screen until it was nearly all covered in brown muck. I stopped the car and tried again to find that bottle. There was no sign of it. I suddenly remembered that the flowers were still waterless and busy withering on the back seat.

Then I did a stupid thing. A puddle by the side of the road being the only moisture in sight, I soaked the rag in it and cleaned the window. Now the windscreen was dirtier than before. I couldn't drive with so much dirt on it.

I walked to some nearby houses and asked for water. I raised the bonnet and poured it all into the reservoir. When I'd let the bonnet down and put everything back, I squeezed the water pump. Nothing happened. I was back where I'd started, without a drop of water and with a dirty window. I had to go back to the house for the second time to ask for more water. I threw the contents of the jug over the windscreen until it was clean and shining and started off again. Within a few minutes, it was as dirty as ever. From then until the end of the journey, we had to stop every so often to clean the screen.

When Bigw saw the water on the windscreen, she remembered.

'The flowers,' she said, ' the flowers are dying,' and said it with so much sadness that she startled me.

*   *   *

'The flowers are dying.'

The minute she'd said the words, they sounded dreadfully sad. She looked at Eleni pouring the water over the windscreen and at the water flowing down in waterfalls like a great weeping. She was

Roedd hi'n ceisio dwyn emyn i gof am floda yn gwywo, am egin mân yn cael eu torri i lawr, am fwystfilod rheibus yn eu sathru. Dyna be ddaru nhw ganu. Fasa hi ddim wedi dewis yr emyn hwnnw ei hun, ond chafodd hi ddim rhan yn y trefniadau. Mi fydda hi wedi dewis cân hapus i gyfleu yr hapusrwydd gawson nhw yng nghwmni ei gilydd, er na wyddai neb am hwnnw.

Y cyfan a ddywedai pawb oedd – Biti. Biti ei fod wedi mynd mor ifanc. Biti fod yr egin wedi ei dorri, y gobaith wedi ei ddiffodd. Biti fod y blodau yn marw.

Allai hi ddim ei ddychmygu yn digwydd yr un ffordd arall. Ar y cyflymder hwnnw yr oedd wedi byw ei fywyd, ac ar y cyflymder hwnnw y byddai'n ei adael. Saith deg pump; wyth deg pump; naw deg . . . Doedd o ddim am gyrraedd yr oedran hwnnw ei hun. Mi fydda'r peth wedi bod yn hollol chwerthinllyd.

'Dydw i ddim am heneiddio,' meddai fo unwaith wrth ei gwasgu, 'wna i ddim.' Ac mi ddeudodd o hynny mewn llais mor benderfynol fel y gwyddai ei fod o ddifrif.

'A dwyt ti ddim am fyw i fod yn dad?' gofynnodd hithau.

Ysgydwodd ei ben.

'Dim plant?' gofynnodd wedyn.

'Dim plant,' meddai, yn gwbl oeraidd.

'A beth amdana i?' gofynnodd yn y diwedd.

'Mi syrthi di mewn cariad yn ddigon buan,' medda fo, a'i chusanu yn ffyrnig.

Phrofodd hi rioed neb arall a allai garu gyda'r fath angerdd, y fath frys, y fath nwyd gwallgo, rhemp, oedd yn cywasgu oes gyfan i flynyddoedd prin ieuenctid. Am nad oedd ganddo yfory, dim cydwybod am heddiw, dim hiraeth am ddoe, dyna pam y'i carai.

Ni wastraffodd ei hamser yn ceisio gwneud synnwyr o'r cyfan. I ba ddiben yr yfai gynnwys ei llestr fesul dipyn, yn ofalus a gwâr, pan oedd modd arllwys y cyfan i lawr mewn un joch a meddwi'n ulw? Ond . . . dim plant? Wyddai hi ddim a allai dderbyn hynny.

Roedden nhw mewn arcêd gemau un tro, wrth y 'Penny Falls', ac yntau'n bwydo ceiniogau iddo un ar ôl y llall. Wedi iddo wario ei arian, safodd gan syllu yn llesmeiriol ar y peiriant yn symud yn ôl ac ymlaen, yn ôl ac ymlaen. Roedd y ceiniogau yn symud mor araf, ac un yn dal ei gwynt ar ymyl y dibyn. Yn y diwedd, yn gyndyn iawn, disgynnodd, gan wneud lle i un arall.

'Fel yna mae plant, wyddost ti,' medda fo, ymhen hir a hwyr.

trying to remember a hymn about flowers withering, green shoots being mown down, ravaging beasts trampling them underfoot. That's what they'd sung. She wouldn't have chosen that hymn herself, but she'd had no part in the arrangements. She would have chosen a happy song to reflect the happiness they'd had in each other's company, although no one knew of it.

All anybody said was – shame. It's a shame he died so young. A shame that the shoots had been mown down, the hope extinguished. A shame that flowers die.

She couldn't imagine it happening any other way. He'd lived his life at that speed, and that's the speed he'd leave it. Seventy five; eighty five; ninety . . . He didn't want to reach that age. It would have been ludicrous.

'I don't want to get old,' he'd said once, squeezing her tight, 'and I won't'. He said it in such a determined voice that she knew he was serious.

'And don't you want to live to be a father?' she asked.

He shook his head.

'No children?' she asked then.

'No children,' he said, quite dispassionately.

'And what about me?' she asked in the end.

'You'll fall in love soon enough,' he said, and kissed her furiously.

She'd never experienced any one else who could love with such passion, such hurry, such a mad, overmastering desire that compressed an entire lifetime into the brief years of youth. Because he had no tomorrow, no conscience about today, no longing for yesterday, that's why she loved him.

She didn't waste her time trying to make sense of it all. Why should she drink the water in her cup drop by drop, carefully, civilly, when she could pour the whole lot down in one gulp and get blind drunk? But . . . no children? She didn't know whether she could accept that.

Once they'd been in a games arcade, by the Penny Falls. He'd been feeding pennies into it, one after another. After he'd spent his money, he stood gazing in a trance at the machine moving back and forth, back and forth. The pennies moved so slowly. One held its breath on the edge of the abyss. In the end, very unwillingly, it fell, making room for another.

'That's how children are, you know,' he said, after a long pause.

135

'Fel beth?' gofynnodd hithau. Fydda fo byth yn sôn am blant oni bai ei bod hi'n codi'r pwnc.

'Fel y ceiniogau hyn. Dyna eu diben hwy ar y byd . . . i'n gwthio ni oddi arno.'

Gwyliodd y ceiniogau yn treiglo i lawr y wal cyn cyrraedd y gwaelod. Disgwylient yn amyneddgar cyn disgyn yn fflat. Gorweddent yn ddiymadferth tra caent eu gwthio ymlaen fesul milimedr. Yn raddol roeddent yn agosáu at y dibyn. Doedd dim y gallent ei wneud i rwystro eu hunain rhag disgyn. Dim ond disgwyl eu tynged yr oeddynt.

Pan ddeuai eu tro, dyna'r diwedd.

'Rydyn ni mor ddiymadferth,' meddai, 'mor analluog i wneud unrhyw beth.'

Cofiai edrych ar ei war noeth, lle'r oedd ei wallt wedi ei dorri'n fyr. Trwyddi, daeth ton o dosturi. O na allai hi lenwi'r gwacter hwnnw yn ei fywyd, a gostegu'r ofn oedd yn ei gnoi yn gyson! Sut yn y byd oedd hwn wedi cael ei adael yn yr oerni, heb ymgeledd, heb sicrwydd ffydd? Pam na allai gael rhyw angor i'w fywyd, rhyw bwrpas . . . ? Pam na allai dderbyn bywyd am yr hyn ydoedd, a'i fyw yn syml fel pawb arall? Pam oedd yn rhaid cwestiynu popeth?

Damwain oedd hi meddai pawb, er na ddeallodd hi erioed ystyr y gair. Beth ydi damwain? Rhywbeth na ddylid ei ganiatáu *yn* cael ei ganiatáu? Rhywbeth sydd ddim i fod i ddigwydd yng nghwrs bywyd *yn* digwydd? Nid oedd yn gwneud synnwyr. Os oedd Trefn, beth oedd ystyr damwain? Os oedd damwain yn bosib, beth oedd ystyr Trefn?

Gwadodd Ellis y Drefn. A oedd yr ymwadiad hwn yn diddymu'r Drefn? A roddodd ei hun ar drugaredd Anhrefn? Saith deg pump, wyth deg pump, naw deg . . . Roedd yn cymryd ei dynged yn ei ddwylo ei hun. Beth oedd tynged? Ai ei dynged ef oedd cael ei falu yn yfflon, ynteu ai damwain oedd? A gafodd ei ladd, ac os felly, gan bwy? Ai lladd ei hun a wnaeth, am mai dyna oedd yn yr arfaeth? Pwy ŵyr? O fewn y Drefn, rhoddwyd ewyllys rydd i bobl. A oedd hynny'n eu gadael yn rhydd i roi terfyn ar yr ewyllys a'r rhyddid a'r bywyd hwnnw a roddwyd iddynt? A oeddynt yn gwadu'r Drefn drwy wneud hynny? Onid oedd yn wybyddus o'r cychwyn mai cael ei ladd mewn car ar gyflymder o naw deg milltir yr awr a gâi Ellis yn chwech ar hugain oed? Os gwir hynny, ni fu erioed yn rhydd.

Nid dyma'r unig gamgymeriad a wnaeth. Drwy ddiffodd fflam ei fywyd ei hun, oedd o'n meddwl y byddai'n diffodd cannwyll eu

'Like what?' she asked. He never talked about children unless she raised the subject.

'Like these pennies. That's their job on this earth . . . to push us off it.'

She watched the pennies rolling down the wall, then reaching the bottom. They waited patiently before falling flat. They lay powerless while they were pushed forwards, millimetre by millimetre. They were gradually getting closer to the edge. There was nothing they could do to prevent themselves from falling. They were just waiting for their fate.

When their turn came, that was the end.

'We're so powerless,' he said, 'so unable to act.'

She remembered looking at the back of his neck, where his hair was cut short. A wave of pity washed through her. If only she could fill that emptiness in his life, and calm the fear that gnawed away at him! How on earth had this man been left out in the cold, without succour, without the certainty of faith? Why couldn't he have an anchor to his life, some purpose? Why couldn't he accept life for what it was, and live it simply as everyone else did? Why did he have to question everything?

It was an accident everybody said, though she never understood the meaning of the word. What is an accident? Something that shouldn't be allowed, being allowed? Something that's not meant to happen, happening? It didn't make sense. If there was a Divine Order, what was the meaning of accident? If accidents were possible, what did the Divine Order mean?

Ellis denied the Divine Order. Did this denial spit in the face of Providence? Had he put himself at the mercy of Improvidence? Seventy five, eighty five, ninety . . . he was taking his fate into his own hands. What was fate? Was it his fate to be shattered in pieces, or was it an accident? Was he killed, and if so, by whom? Did he kill himself, because that was what Providence decreed? Who knows? People were given free will within the Divine Order. Did that leave them free to put an end to the will and the freedom, and the life that had been given them? Were they denying Providence by doing so? Was it not known from the beginning that Ellis would be killed in a car at a speed of ninety miles an hour, aged twenty-six? If that was true, he had never been free.

That was not the only mistake he made. By extinguishing the flame of his own life, did he think he could put out the candle of

cariad? Oedd o'n meddwl y byddai hi'n peidio ei garu unwaith y byddai'n peidio â bod? Beth oedd hi'n ei garu? Beth oedd hi'n ei golli? Hyd heddiw, nis gwyddai. Y cyfan oedd wedi peidio oedd eu mynegiant corfforol o gariad . . . roedd popeth arall yn aros. Gwyddai ei bod yn dal i feddwl amdano yn yr un modd, a'i bod yn hiraethu amdano. Teimlai ei bresenoldeb yn aml, cofiai ei lais a'i wên. Canfu ei hun unwaith eto yn ei bywyd yn aros i'r meirw ddychwelyd. Beth roddodd fod i'r syniad fod bodau dynol yn gallu darfod o fod? Onid oedd enaid yn rhywbeth tragwyddol na allai dim ei ddinistrio?

'Fydde waeth taset ti wedi aros amdanaf.'

Ofer . . . *ofer*, fe'i hatebai.

'Byddem wedi gallu rhannu cymaint.'

Lisi – mor sydyn wyt ti'n anghofio. Beth yn rhagor oedd yna i'w rannu?

'Rhannu f'unigrwydd i . . .'

Mi gefaist ti gynnig i ddod gyda mi.

'Roedd gen i ofn . . .'

Mwy o ofn nag sydd gen ti rŵan?

Nac oedd, dim cymaint o ofn â hyn. Fe geisiodd ei osgoi, ond fe'i gorfodwyd i'w wynebu ei hun yn y pen draw. Saith deg pump; wyth deg pump; naw deg . . .

their love? Did he think she would stop loving him once he stopped being? What did she love? What was she missing? To this day, she didn't know. All that had ended was the physical expression of their love . . . everything else remained. She knew that she still thought of him in the same way, and that she longed for him. She felt his presence often, remembered his voice and his smile. She found herself, once more in her life, waiting for the dead to return. What gave rise to the idea that human beings could stop existing? Wasn't a soul an eternal thing that nothing could destroy?

'You might have waited for me.'

No point . . . no point, he answered her.

'We could have shared so much.'

Lisi – how soon you forget. What more was there to share?

'My loneliness . . .'

You had the chance to come with me.

'I was frightened . . .'

More frightened than you are now?

No, not as frightened as this. She'd tried to avoid it, but she was forced to face herself in the end. Seventy five; eighty five; ninety . . .

15

Mewn eglwys fydda fo – mae eglwys yn harddach ac mi fydda hi'n licio rhywbeth felly. Mae yna aur ac arian, marmor a phrês, lliw a pherarogl mewn eglwys. Byddai'n achlysur hardd ac urddasol iawn. Byddwn yn llenwi'r adeilad gyda blodau cynnar haf, yn agor y drysau trwm i'r heulwen gael tywallt ei wres drwyddynt a goleuo'r gwydr lliw. Câi'r gwenyn a ieir bach yr haf ddod i mewn i ysgafnhau calonnau'r galarwyr a sychu eu dagrau gyda'u hadenydd. Byddai cerddorion gwych yn dod gyda'u hofferynnau ac ar yr organ byddai'r offeren dristaf a glywyd yn hanes y byd.

Byddai'r lle yn orlawn, ac ymhob sedd byddai cyfeillion a chydnabod ers bore oes. Byddai ei holl feiau a'i gwendidau lu yn cael eu hanghofio, a byddai pawb yn hel atgofion clên a hapus. Byddai'r galar a'r gofid yn ddigon i gyfiawnhau codi'r meirw o'u beddau fel y caent hwy le yn y cefn wedi eu cuddio tu ôl i len o sidan gwyn. Byddai pob un o'r gynulleidfa yn ei dro yn adrodd ei hanes ac yn moli ei buchedd. Byddent yn datgymalu gwead eu cof ac yn dewis edau arian oedd yn portreadu un nodwedd o'i chymeriad. Caent ei adrodd, ei lefaru'n syml neu ei osod ar gân. Byddai pawb am dalu teyrnged i fywyd mor faith a ddioddefodd cymaint, i wytnwch ei chymeriad ac i'w chorff a oroesodd cyhyd.

O un i un yn ystod y gwasanaeth, câi hen lyfr du trwchus ei basio o law i law. Albwm fyddai hwn yn llawn o ffrindiau a chydnabod, i gyd wedi eu presio yn ofalus ac yn fytholwyrdd. Wedi i'r offeiriad ddweud gair, byddai ei hoff emynau yn cael eu canu gan gôr mawreddog, ac yna fe geid seibiant i bawb gael sgwrsio efo'i gilydd, cwrdd â hen ffrindiau a dwyn atgofion. I'r gwasanaeth byddai pawb wedi dod â rhywbeth gyda fo – llythyr, llun, dilledyn, anrheg – unrhyw beth oedd yn cyfleu eu cysylltiad hwy gyda'r ymadawedig. I'r sawl nad oedd ganddo ddim i gofio amdani, fe rennid peth o'i heiddo ar y diwedd fel nad oedd neb yn mynd oddi yno yn waglaw. Gallaf weld y cyfan yn fy nychymyg yn awr.

15

It would be in a church – a church is more beautiful, and she would like something like that. There's gold and silver, marble and brass, colour and incense in a church. It would be a very beautiful and dignified occasion. We'd fill the building with the early flowers of summer, and open the heavy doors so that the sun might pour its heat through them and light up the stained glass. The bees and the butterflies would be allowed in to lighten the hearts of the mourners, and dry their tears with their wings. Fine musicians would bring their instruments, and on the organ would play the saddest requiem the world had ever heard.

The church would be bursting at the seams, and in every seat there would be friends and acquaintances from childhood. All her faults and many weaknesses would be forgotten, and everyone would exchange kind and happy memories. The grief and the longing would raise the very dead from their graves. They would have a place at the back, hidden behind a curtain of white silk. Each member of the congregation would in turn tell her story and praise her life. They would unravel the warp and weft of memory and choose a single silver thread that portrayed one aspect of her character. They would be recited, simply told or set to music. Everyone would wish to pay tribute to a life so long, of such great sorrow, to her strength and resilience of character, and to her body that had lasted for so long.

During the service, a thick old black book would be passed from hand to hand. This would be an album full of friends and acquaintances, all pressed carefully, evergreen. After the priest had spoken, a magnificent choir would sing her favourite hymns, and then there would be an interval so that everyone could converse, meet old friends and exchange memories. Each would have brought something to the service – a letter, a picture, a garment, a gift – anything that would express a connection with the departed. For those who had nothing by which to remember her, some of her property would be distributed at the end so that no one left empty handed. I can see it all in my imagination now.

Mae'r arch wedi ei gosod ar ganol llawr yr eglwys i bawb deimlo fod hynny sy'n weddill ohoni yn dal yn eu plith. Nid oes caead ar yr arch am nad oes gan neb gywilydd o'r meirw. Caiff pawb fynd draw i'w gweld a'i chusanu, gafael yn ei llaw i'w chysuro, a rhoi blodau ar ei chorff nes ei fod wedi ei orchuddio â phetalau cyfeillgarwch.

Fel mae'r côr yn cyrraedd uchafbwynt eu cân, clywir murmur isel arallfydol, yn alaw nad yw'r glust ddynol wedi clywed ei thebyg o'r blaen. Clywir mwstwr tawel yn ymledu drwy'r gynulleidfa wrth i'r sŵn ddod yn uwch ac yn uwch. Ar y cychwyn, tybir mai su y gwenyn neu siffrwd adenydd y pili-pala ydyw, ond wrth iddo gryfhau, mae synau eraill – o bob cyfeiriad – yn llenwi'r lle. Mae'r cyfan yn asio gyda'i gilydd i gyfleu alaw sydd mor llethol o drwm gan hiraeth fel y gadewir pob calon yn gignoeth. Pan synhwyrir na ellir goddef rhagor, mae'r gân yn ysgafnhau, â'r lleisiau'n uwch, ac maent yn swnio fel darnau o wydr yn tincial yn erbyn ei gilydd. Daw gwynt nerthol o gyfeiriad y drws i godi godre'r carpedi, diffydd y canhwyllau, ac yn sydyn, sylweddola'r cynulliad fod y canu yn dod o gyfeiriad y meirw. Wrth iddynt edrych dros eu 'sgwyddau, dyna lle mae'r corff yn codi ar ei eistedd yn yr arch, ac yn hedfan allan. Mae'r meirw yn toddi drwy'r sidan gwyn ac yn dod i'w gyrchu. Mor bur ydyw, mor ddilychwin – ond yn wahanol i'r hyn a adwaenwn ni, mae yna olau o'i mewn a gellir gweld drwyddo, mae'r sylwedd a gysylltir efo'r corff dynol wedi mynd. Â'r meidrolion ymlaen gyda'u seremoni, codant yr arch a gorymdeithio'n araf a dwys o'r eglwys. O'u blaenau, cerdda'r ymadawedig gan ddod ar draws mwy a mwy o'r meirw y mae'n eu hadnabod. Cofleidia hwy, a chymerant hi dan eu hadain.

Tu ôl iddi mae'r byw, yn wylofain ac yn rhincian dannedd. Mae eraill yn cynnal ei gilydd tra mae'r diniwed yn dawnsio a neidio am na allant ddirnad y galar. Weithiau, mae baich y gofid mor fawr fel na all yr osgordd fynd yn ei blaen. Ond wedi iddynt adfer eu hunain, ânt rhagddynt am fod ewyllys y byw yn gryfach na'r meirw.

Disgwylia hi wrthynt, gan nad yw am ddisgyn i'r bedd heb eu cwmni. Fe'i hebryngir at lan y bedd, sydd wedi ei agor yn barod, a'r ffordd wedi ei pharatoi ar ei chyfer. Unwaith eto, cana'r galarwyr drachefn a thrachefn. Cydia'r meirw ynddi a'i thywys i'r byd arall. Y synau olaf a glyw yw'r tonau lleddf hynny y bu mor

The coffin has been placed in the middle of the nave so that everyone can feel that what remains of her is still among us. There is no lid on the coffin because no one is ashamed of the dead. Everyone can go over to see her and kiss her, hold her hand to comfort her, and place flowers on her body until she is covered with the petals of friendship.

As the choir reaches the climax of its song, a low, otherworldly murmur is heard, a melody the like of which the human ear has never heard before. A low rustling comes from the congregation as the sound gets louder and louder. At the beginning, they think that this is the hum of bees or the whisper of butterflies' wings, but as it grows in force, other sounds – from every direction – fill the place. It all blends together in a melody so weighed down by sorrow that it leaves each heart naked and flayed. When we sense the congregation cannot stand any more, the song lightens, the voices grow higher, and they sound like shards of glass tinkling against each other. A great wind comes from the direction of the door, raising the corners of the carpets, putting out the light; and suddenly, the gathering realises that the song is coming from where the dead stand. As they look over their shoulders, the body is sitting up in its coffin, and flying away. The dead melt through the white silk and come to fetch her. She is so pure, so unspotted – but different from that which we know. There is a light within and she is transparent, the substance of her human body gone. The living go on with their ceremony, they raise the coffin and process slowly, solemnly from the church. In front of them, the deceased walks, meeting more and more of her friends amongst the dead. She embraces them, and they take her under their wing.

Behind her are the living, weeping and gnashing their teeth. Some support each other while the innocent dance and leap because they cannot understand this grief. Sometimes, the sorrow is so heavy that the procession cannot go on. But once they have composed themselves, they go on because the will of the living is stronger than the dead.

She waits for them, for she does not wish to descend into the grave without their company. She is accompanied to the grave, which is already open, and the road prepared for her. The mourners sing again and again. The dead catch hold of her and take her away to the other world. The last sounds she hears are those sad songs

143

hoff ohonynt yn ystod ei arhosiad ar y ddaear a'r rhai y gwyddai y byddai'n eu clywed drachefn yr ochr arall.

Rhyw gynhebrwng felly y carwn i Bigw ei gael.

she was so fond of during her stay on earth, the ones she knew she would hear again on the other side.

This is the kind of funeral I would like for Bigw.

16

Torrodd ei llais ar draws fy meddyliau.

'Diolch i chi am ddod â mi.'

Bu bron i mi fethu'r troad yn y ffordd gan gymaint fy sioc.

'Popeth yn iawn, Bigw. Dwi'n falch 'mod i wedi gallu dod â chi.'

'Dwi wedi bod eisiau mynd ers cyhyd, a phawb yn gwrthod.'

'Fyddwn ni fawr o dro yn cyrraedd yno rŵan.'

'Faswn i'n licio ei weld o am y tro olaf cyn i mi farw.'

'Peidiwch â siarad fel'na newch chi.'

'Ron i'n teimlo'n llawn embaras pan oedd hi'n dechrau sôn am farw. Synhwyrodd hithau hynny a bod yn dawel.

* * *

Toedden nhw i gyd yn mynd yn rhyfedd pan ddywedai hi y gair yna. Roedd yn cael yr un effaith ar bobl â phetai'n rhegi neu'n dweud gair anweddus. Roeddynt yn mynd i'w gilydd i gyd. Er ei fod o'n un o'r pethau mwyaf naturiol dan haul, mae'n well ganddynt ei anwybyddu. Fel petai o ddim am ddigwydd iddynt hwy o gwbl. . . fel petai'n rhyw afiechyd y bu hi'n ddigon anffodus i'w ddal. Falle mai ceisio dianc rhag gorfod ei wynebu y maent. Dyna pam y maent yn anghyfforddus ym mhresenoldeb rhywun hen – maent yn sylweddoli mai dyna'r cyfan sydd yn eu haros hwy. Dim ond mater o amser ydyw tan y byddant hwythau i gyd yr un fath. Dyna a roddai gysur iddi.

Yn aml iawn, fe deimlai angen mawr i drafod yr hyn oedd ar fin digwydd iddi. Ond gyda phwy? Fyddai yna neb am ei drafod yn y Cartref. Er mai ar yr echel honno yr oedd bywyd y Cartref yn troi, ni fynnai neb gydnabod hynny. Roeddynt fel petaent yn credu y caent lonydd oddi wrtho cyhyd ag y gwadent ef. Tra gwrthodent ei gydnabod, doedd o ddim yn effeithio arnynt hwy. Rhywbeth a ddigwyddai i bobl eraill ydoedd.

Ni allai ei drafod gyda'r gweinidog. Anaml iawn y gwelai hi o. Person dieithr ydoedd, ac ni theimlai y gallai drafod mater mor bersonol gydag o. Ar yr ychydig adegau yr oedd wedi ei weld,

16

Her voice cut across my thoughts.

'Thank you for bringing me.'

I was so shocked I nearly missed the turning.

'That's all right, Bigw. I'm glad I could.'

'I've wanted to come for so long, but no one would let me.'

'We won't be long now.'

'I'd like to see it for the last time before I die.'

'Please don't talk like that.'

I felt so embarrassed when she started to talk about death. She sensed this, and was silent.

*　　*　　*

Didn't they all go a bit funny when she said that word? It was as if she'd sworn or said a bad word. They went all quiet on her. Although it was one of the most natural things in the world, they'd rather ignore it. As if it wasn't going to happen to them at all . . . as if it was some illness that she'd been unfortunate enough to catch. Perhaps they were trying to escape from having to face it. That's why they're uncomfortable in the company of old people – they realise that's all that's waiting for them. It's only a matter of time before they'll all be in the same state. That's what gave her comfort.

She often felt a great need to discuss what was about to happen to her. But who with? Nobody at the Home would want to talk about it. Though the life of the Home turned around that very axis, no one wanted to acknowledge it. It was as if they thought it would leave them alone as long as they denied its existence. While they refused to acknowledge it, it didn't affect them. It was something that happened to other people.

She couldn't discuss it with the minister. She very rarely saw him. He was a stranger, and she didn't feel she could discuss such a personal matter with him. On the rare occasions when she'd seen

sgwrs blentynnaidd iawn oedd ganddo. Siaradai gyda hi yn union fel petai'n siarad gyda phlentyn. Bob tro y ceisiai godi'r pwnc gydag Eleni neu un o'i theulu, byddent yn mynd yn anghyfforddus iawn ac yn troi'r sgwrs i drafod rhywbeth oedd yn nes at bynciau bob dydd. Doedd pobl normal ddim yn trafod marwolaeth.

Efallai fod pobl yn amharod i'w drafod rhag ofn ei gwneud hi yn ddigalon, ond roedd hi wedi cyrraedd oedran bellach lle nad oedd emosiynau yn ei chynhyrfu fawr. Yn yr un modd ag y collodd ei synnwyr i weld a chlywed ac arogli, yn yr un modd ag yr arafodd ei chorff ac y gwanhaodd ei chyhyrau, felly y pylodd ei hemosiynau fel nad oedd yn profi eithafion teimladau mwyach. Yn wir, ni allai gofio pryd y cynhyrfwyd hi ddiwethaf. Ers iddi ddod i'r Cartref, fe'i dadrithiwyd i'r fath raddau gyda phopeth fel y bu raid iddi ymarfogi ei hun dim ond i'w gwneud yn bosib iddi allu byw o ddydd i ddydd. Ceisiodd argyhoeddi ei hun nad dyma oedd diwedd y daith, ac mai yn y Cartref dros dro yn unig yr oedd. Ond fel yr âi'r misoedd yn dymhorau ac yn flynyddoedd, roedd yna wirionedd anghyfforddus yn mynnu gwthio ei hun ar y gorwel. Waeth pa mor galed y ceisiai ei anwybyddu, gwrthodai adael llonydd iddi, yn union fel y ddannodd neu dyfiant y tu mewn iddi. Roedd o'n amlwg y byddai yn y Cartref am weddill ei bywyd, ond gan nad oedd neb wedi gwadu'n bendant y syniad o gael dychwelyd adref rhyw ddydd, glynai at hynny fel gelen. Gwyddai pe bai'n colli gafael ar y gobaith egwan hwnnw, y byddai ei diwedd yn dod yn llawer cynt.

Na, doedd ganddi hi ddim ofn mynd. Dim o gwbl. Sylweddolodd ers tro nad un digwyddiad oedd marw, ond yn hytrach broses oedd yn cychwyn o ddydd eich geni. Ieuenctid oedd y cyflwr hwnnw o fod yn ddigon cryf i wadu'r gwirionedd hwnnw gan dyfu ac ymgryfhau. Ond unwaith oedd y bêl wedi ei gwthio, doedd dim modd ei stopio. Wedi'r deugain oed, deuai dirywiad y corff yn ffactor yr oedd yn rhaid dygymod ag o, a dysgai'r hunan i ddod i delerau â'r ffaith ei fod yn darfod. Doedd dim pen draw rhesymegol arall ond marw. Y broses o ddod i stop fyddai'r digwyddiad mwyaf i'r corff ers iddo gael ei eni. Roedd yn naturiol i rywun hel meddyliau . . . pam na châi eu mynegi?

Sut oedd marw? Sut y byddai'n gwybod pan fyddai wedi marw? I bobl eraill, byddai'r ffaith yn un amlwg, ond sut brofiad fyddai o iddi hi? Beth fyddai'r peth cyntaf a deimlai? Beth oedd y pethau cyntaf i'w disgwyl? Sut oedd dod i delerau â gadael byd o amser i fynd i fyd tu hwnt i synnwyr?

him, his conversation had been infantile. He talked to her exactly as if he were speaking to a child. Every time she tried to bring up the subject with Eleni or one of her family, they became very uncomfortable, changing the subject to something more everyday. Normal people didn't talk about death.

Perhaps people were unwilling to discuss it in case it depressed her, but by now she'd reached the age where emotions didn't upset her very much. In the same way as she'd lost her sense of smell and sight and hearing, in the same way as her body had slowed down and her muscles had weakened, her emotions had got blunter so that she no longer experienced the extremes of feeling. Indeed, she couldn't remember when she'd last been really moved. Since she'd come to the Home, she'd been so disillusioned by everything that she had had to gird her loins simply to live from day to day. She tried to convince herself that his was not the end of the road, that she was only at the Home for a while. But as the months turned into seasons and then years, an uncomfortable truth insisted on encroaching over the horizon. However hard she tried to ignore it, it refused to leave her in peace, like a toothache or a growth inside her. It was obvious she'd be in the Home for the rest of her life, but as no one had completely vetoed the idea of going home some day, she clung like a limpet to that idea. She knew that if she lost sight of that one faint hope she would die much sooner.

No, she wasn't frightened of going. Not at all. She'd realised a while ago that dying was not a single event, but a process that began from the day of your birth. Youth was the condition of being strong enough to deny that truth, by growing and getting stronger day by day. But once the ball had been pushed, there was no way to stop it. After forty, the decay of the body became a factor you had to accept. It taught the self to come to terms with the fact that it was fading. The only logical conclusion was death. The process of coming to a full stop was the greatest event for the body since it was born. It was natural for one to think about it . . . why couldn't she express those thoughts?

How did one die? How would she know when she had died? To other people, it would be obvious, but what kind of experience would it be for her? What would be the first thing she felt? What would be the first things she could expect? How did you come to terms with leaving a world of time to go to a world that was beyond reason?

Wyddai neb yr ateb. Doedd yna ddim ateb. Pam ddylai hi gael gwybod rhywbeth oedd wedi poeni'r ddynoliaeth ers cyn cof? Ond nid ateb oedd hi'n ei chwenychu yn gymaint â sgwrs neu drafodaeth. Unrhyw beth a fyddai'n torri ar draws y cynllwyn ofnadwy yma o beidio ag ynganu'r gair, heb sôn am siarad amdano. Bod ei hun a'i poenai fwyaf. Tybed oedd o'n haws i rai priod? Wrth iddi gael ei gostwng i'r bedd, oedd yna rywun fyddai'n ei chyfarch yn gyfeillgar gan sicrhau fod popeth mewn trefn? Oedd yna rywun i'w chodi a gafael yn ei llaw i'w harwain at Sedd y Farn? Fyddai raid iddi wynebu'r cyfan ar ei phen ei hun? Roedd hi mor ddi-glem, a chymaint o ofn gwneud rhywbeth o'i le.

*　*　*

Byddai'n ddistaw am gyfnodau hir, rwy'n cofio'n iawn, a phryd hynny, doedd yr awyrgylch yn y car ddim yn gyfforddus iawn. Cofiaf yn awr am y modd y byddai yn datgysylltu ei hun yn llwyr oddi wrth y byd yma. Rhythai o'i blaen, ond doedd ei llygaid yn gweld dim byd. Ar adegau felly, gwyddwn ei bod wedi neilltuo ei hun i'w chysegr preifat, ac mai ofer oedd galw arni.

Yr hyn a darfai arnaf oedd fod gen i syniad go dda am beth y myfyriai. Gwyddwn yn iawn y byddai wedi gwerthfawrogi sgwrs i drafod, ond fedrwn i ddim. Mae 'na euogrwydd dwfn yn pwyso ar f'ysgwyddau i nawr, ond am ryw reswm dirgel, fedrwn i ddim gwneud fy hun drafod y mater. Beth yn y byd oedd yna i'w ddweud? Nid y fi oedd y person i siarad am bethau felly gyda hi, roeddwn i'n rhy ifanc. Dylai hi fod wedi cael doctor neu weinidog i siarad ag o, ac i leddfu ei phryder. Pa gymorth fyddwn i wedi gallu bod? Yr oedd yr holl fusnes yn codi ofn arnaf, ac mae'n siŵr nad oedd diben ein taith y diwrnod hwnnw yn help i gael y peth allan o'i meddwl.

Rŵan, rwy'n difaru. Beth fyddai o wedi ei olygu i mi wrando arni, hyd yn oed os oeddwn i'n hollol anghymwys? Roeddwn i wastad wedi gohirio'r mater tan y tro nesaf, nes yn y diwedd doedd yna'r un tro nesaf. Digwyddodd. Roedd hi wedi mynd.

Fe ddyfalais i gymaint o weithiau sut y byddai'n digwydd yn y diwedd. Bob tro y dychwelwn o daith bell, yr hyn a ofnwn fwyaf oedd clywed fod Bigw wedi marw. Rywsut, goroesodd gyhyd fel y blinodd pobl ddyfalu pryd y byddai'n marw. Roedd hi wedi bod yn naw-deg-rwbath am gyhyd, mae'n rhaid ei bod yn agosáu at gant.

No one knew the answer. There was no answer. Why should she be told something that had been troubling humanity since the world began? But it wasn't an answer she longed for, but rather a conversation or discussion. Anything that would cut through this terrible conspiracy not even to mention the word, let alone talk about it.

Being by herself was what worried her most. Was it maybe easier for married people? As she was lowered into the grave, would there be someone to greet her kindly, to make sure that everything was in order? Would there be someone to raise her up and grasp her hand to lead her to the Judgement Seat? Would she have to face it all by herself? She was so inept, so afraid of doing the wrong thing.

*   *   *

She'd be quiet for ages I remember, and at those times the atmosphere in the car wasn't very comfortable. I remember now the way she'd cut herself off completely from this world. She'd stare straight in front of her, but her eyes said nothing. At times like these, I knew that she had withdrawn to her own private sanctuary, and that calling on her would be in vain.

What disturbed me was that I had a pretty good idea what she was dwelling on. I knew quite well that she would have liked to talk about it, but I just couldn't. A deep guilt weighs on my shoulders now, but for some mysterious reason I couldn't make myself talk about it with her. What on earth was there to say? I wasn't the right person to discuss such things with her, I was too young. She should have found a doctor or a minister to talk to, to soothe her worries. What help could I have been? The whole business scared me, and I'm sure the purpose of our journey that day was of no help in putting it out of her mind.

Now, I regret it. What would it have mattered to me to listen to her, even if I was totally unqualified? I'd always put it off until the next time, until in the end there was no next time. It had happened. She had gone.

I'd wondered so many times how it would happen in the end. Every time I came back from a long journey, what I feared most was hearing that Bigw had died. Somehow, she had survived so long that people gave up wondering when she'd die. She'd been ninety-something for so long, she must have been almost a

Sawl tro y dywedodd nad oedd eisiau byw i fod yn gant? Sawl tro y dywedodd y byddai'n falch o gael mynd? Mae'n rhaid ei bod wedi syrffedu'n ddychrynllyd i allu dweud hynny. Ond roedd hi'n dal i feddu ar ei synhwyrau. Wedi'r cyfnod o fod yn rhyfedd pan oedd hi'n byw gyda ni, adolygwyd ei chyffuriau a daeth newid mawr drosti. Doedd hi ddim yr un person. Gyda'r fath drawsnewidiad, dyfalwn pam na allai'r meddygon addasu'r ddôs nes ei gwneud yn holliach, ond efallai fod hynny y tu hwnt iddynt.

*   *   *

Fe'm deffrowyd gan sŵn ffôn un bore ymhell bell i ffwrdd. Roedd hi'n gynnar iawn. Pan oeddwn ar fin troi i ailgydio mewn cwsg, sylweddolais na fyddai neb yn galw yr adeg yna o'r bore oni bai ei fod yn fater o bwys. Rhwng cwsg ac effro, llwyddais i gyrraedd y ffôn a'i godi.

'Mrs Walters y Cartref sydd yma. Mae gen i newyddion drwg i chi . . .'

'Ia . . . ?'

'Mae Miss Hughes wedi marw.'

'Wedi marw?'

'Ia . . . mi fuo hi farw tua thri o'r gloch y bore 'ma – yn dawel iawn.'

'Diar mi.'

'Fuo hi ddim mewn poen o gwbl.'

'Mae hynny'n gysur.'

'Ia . . . isio gwybod yr oeddwn . . . wn i ddim os gwyddoch chi . . . eisiau cael ei chladdu neu ei chremêtio oedd hi?'

'Radeg honno y disgynnodd y ffôn o fy llaw. Roedd fel petai rhywun wedi gwasgu nodwydd i'm gwythiennau a'm gwneud yn gwbl ddiymadferth. Fedrwn i ddweud na theimlo dim. Roedd yna ddynes yr ochr arall i'r ffôn yn holi os gwyddwn i p'un ai eisiau cael ei chladdu neu ei llosgi oedd Bigw, yn union fel petai hi'n gofyn imi ddod draw i de.

Wn i ddim yn iawn, Mrs Walters . . . p'un fyddai eich dewis chi? Mae claddu yn ffordd mwy traddodiadol, ond mae lot yn cael eu llosgi y dyddiau hyn tydi? . . . Arbed lot o lanast . . . P'run ydi'r rhataf, deudwch? Ddaru chi ddim digwydd holi Miss Hughes ei hun tra oedd yn dal yn fyw, naddo? Dydi o ddim yn gwestiwn ar un o'r miloedd ffurflenni rheini roeddech chi am iddi ei llenwi? Tase

152

hundred. How many times had she said she didn't want to live to be a hundred? How many times had she said she'd be glad to go? She must have been so bone-weary of the whole thing to say that. But she still had her faculties. After her funny spell when she was living with us, they revised her medication and a great change came over her. She wasn't the same person. Such was the transformation, I wondered why the doctors couldn't adjust the dose to make her well again, but perhaps that was beyond them.

*   *   *

I was woken one morning by the sound of a phone ringing a long way away. It was very early. I was just about to gather my sleep around me again when I realised that no one would call at that time of the morning unless it was important. Between sleep and waking, I managed to get to the phone and pick up the receiver.

'It's Mrs Walters here. From the Home. I have some bad news for you . . .'

'Yes . . . ?'

'Miss Hughes has died.'

'Died?'

'Yes . . . she died about three o' clock this morning – very quietly.'

'Dear me.'

'She wasn't in any pain.'

'That is a comfort.'

'Yes . . . I wanted to know . . . I don't know if you know . . . whether she wanted to be buried or cremated?'

That's when the phone fell from my hand. It was as if someone had pressed a needle into my veins to numb me. I couldn't say or do anything. There was a woman on the other end of the phone asking me if I knew whether Bigw had wanted to be buried or cremated, exactly as if she was inviting me to tea.

I don't really know, Mrs Walters . . . which would you choose? Burial is a more traditional method, but lots of people are cremated these days aren't they? Saves a lot of mess . . . Which is cheaper? You didn't happen to ask Miss Hughes herself while she was still alive, did you? It's not one of the questions on one of those thousands of forms you wanted her to fill in, is it? If you'd asked

chi wedi gofyn iddi, mi fydde hi wedi gallu dweud yn syth. Mi feddyliodd yn hir am y mater . . . Na, wn i ddim ychwaith. Ofynnais innau erioed iddi, a ddeudodd hi ddim wrthyf innau. Dydi o ddim yn rhywbeth 'da chi'n licio ei drafod nac ydi, hen fusnes annifyr ydi o.

'Helo, Helo? Mae'n ddrwg gen i orfod gofyn, ond mae'n rhaid i mi gael gwybod cyn y daw y doctor – fydd yn rhaid iddo fo ei roi ar y ffurflen.'

Mwy o ffurflenni . . . Ia, ewch ymlaen â'ch busnes. Wedi'r cyfan, busnes ydi o i chi 'te? Rydach chi'n gyfarwydd efo rhyw bethau fel hyn. Mi fydd yna hen drefnu yr ochr yma rŵan 'chi . . . bydd, c'nebrwn a ballu. Hen strach ydi o 'te? Tydi o'n biti na fasach chi'n gallu eu lapio nhw mewn papur newydd a'u rhoi nhw allan ar gyfer y lori ludw? Mi fydda hynna'n arbed cymaint o drafferth i bawb, a mi fydda fo drosodd mewn chwinciad.

'Helo?'

Dwi ddim yn cofio beth ddywedais i. Rhywbeth i'r perwyl y baswn i'n ffonio yn ôl. Dwi ddim yn credu i mi roi'r ffôn i lawr arni, er cymaint y teimlwn fel gwneud hynny.

Felly roedd hi wedi mynd. Roedd o wedi gallu digwydd mor rhwydd a hynny. Chefais i ddim dweud ta-ta wrthi. Roedd yna gymaint o bethau heb eu dweud, gymaint o bethau ar eu hanner. A rŵan, roedd hi wedi mynd. Chefais i ddim rhybudd. Chefais i ddim eistedd wrth ei gwely. Dim cyfle i'w nyrsio a gofalu amdani yn y dyddiau diwethaf. Dim cyfle i weini arni, i'w chysuro yn awr ei gwendid. Dim cyfle i ymbaratoi wrth ddisgwyl y diwedd.

Felly, mi aeth hi! Mor slei â hynny! Heb ddweud wrth neb . . . mi lwyddodd hi i ddianc! Heb i neb ohonom allu ei rhwystro, na'i llenwi efo mwy o gyffuriau, na'i rhwymo i'w gwely . . . mi gododd, ac mi aeth! Hi enillodd! Mi ddaliodd y bws!

her, she'd have told you straight away. She thought a lot about the subject . . . No, I don't know either. I never asked her, and she never told me. It's not something you like to discuss is it, it's an uncomfortable old business.

'Hello, hello? I'm sorry to have to ask, but I need to know before the doctor comes – he'll have to put it on the form.'

More forms . . . Yes, you carry on with your business. After all, it is a business for you, isn't it? You're familiar with such things. There'll be a lot to do now this end, you know . . . yes, the funeral and so on. It's a lot of old fuss, isn't it? Isn't it a pity you couldn't wrap them up in newspaper and put them out for the bin men? It would save everyone so much trouble, and it would all be over in a flash.

'Hello?'

I don't remember what I said. Something about ringing back. I don't think I put the phone down on her, however much I felt like it.

So she was gone. It had happened as smoothly as that. I didn't get a chance to say goodbye. There were so many things unsaid, so many things half-finished. And now, she was gone. I had no warning. I didn't get to sit by her bed. No opportunity to nurse her and care for her those last days. No opportunity to wait on her, to comfort her in her hour of weakness. No chance to prepare myself as the end approached.

So, she was gone! As sly as that! Without a word to any one . . . she'd managed to escape! Without any of us being able to stop her, nor fill her with more drugs, nor tie her to her bed . . . she got up, and she went! She had won! She had caught the bus!

Mae'n rhaid ei bod wedi dal ei gafael ar bopeth. Welais i rioed ffasiwn lanast. Roedd o'n union fel tasa rhywun wedi cloddio efo rhaw i mewn i domen y gorffennol ac wedi lluchio'r cyfan i lofft gefn ein tŷ ni. Am faint o wythnosau fuo Mam druan ar ei gliniau yn ei ganol yn mynd drwyddo efo crib mân, wn i ddim. Byddai unrhyw un arall wedi llogi'r sgip agosaf ac wedi lluchio'r cyfan i mewn iddi, ond fasa Mam byth yn gwneud hynny. Fel teyrnged i ofal Bigw am y pethau hyn dros y blynyddoedd, teimlai Mam mai ei dyletswydd oedd eu chwynnu yn ofalus. Ond y fath 'nialwch! – yn ddillad, llyfrau, lluniau, yn focsus o atgofion ar dopiau'i gilydd. Mae'n rhaid ei bod wedi cadw pob cerpyn fu'n eiddo iddi – yn sanau silc ac yn ddillad isaf o oes yr arth a'r blaidd. Yn llieiniau hynafol roddwyd o law i law gan fam hen hen hen hen nain i'w thaid. Faswn i ddim yn synnu tasa rhai ohonyn nhw'n perthyn i Jane Hellena . . . Lluniau pobl oedd bellach yn llwch, yn gerrig a broitsys a modrwyau yr anghofiwyd eu harwyddocâd.

Prin y gwelsom ni Mam yn ystod y dyddiau hynny. Y cwbl oedd i'w glywed o'r llofft gefn oedd sŵn fel siffrwd llygoden brysur yn byseddu'r holl greiriau fel tasa hi'n chwilio am rywbeth ac yn methu dod o hyd iddo. Mynych yr euthum i'm gwely yn hwyr a gweld y rhimyn o olau dan ddrws y llofft fach a dyfalu beth a'i cadwai yno gyhyd.

Unwaith, pan oedd Mam allan, mi fentrais i mewn i'r cysegr a chael fy synnu gan gynifer o bethau oedd yno. Roedd Mam wedi hanner eu didoli gan eu rhoi mewn pentyrrau gwahanol ar y gwely. Ond roedd yn amlwg na ddeuai hi byth i ben. 'Radeg honno y gwelais i'r dyddiadur. Nid un Bigw oedd o, ond un ei brawd. Y flwyddyn oedd 1917. Gafaelais ynddo yn betrusgar, ac roedd gen i ofn ei agor. Tan yr adeg honno, cymeriad mewn stori oedd Harri Frawd Bigw, soldiwr tun o'r gorffennol pell a oedd yn byw yng nghof Bigw. Nawr fod Bigw wedi mynd roedd Harri yn fwy marw nag erioed. Ac eto, wrth fyseddu tudalennau'r gyffes honno, sylweddolais beth mewn gwirionedd a fu farw – bachgen, brawd, gŵr o gig a gwaed a fu fyw ac a deimlodd ac a anadlodd fel fi.

17

She must have kept every single thing. I never saw such a mess. It was as if someone had been excavating the slag-heap of the past with a spade and had thrown the whole lot into our back room. I don't know how many weeks poor Mam was at it, on her hands and knees in the middle of it going through it with a fine tooth comb. Any one else would have hired the nearest skip and thrown the whole lot into it, but Mam would never do that. As a tribute to the way Bigw had cared for these things over the years, Mam felt it her duty to weed them carefully. But what rubbish! – clothes, books, pictures, boxes of memories one on top of the other. She must have kept every rag she'd every owned – silk stockings and underwear from the dawn of time. Ancient linens passed on from hand to hand by the mother of her grandfather's great-great-great grandmother. I wouldn't have been surprised if some of them had belonged to Jane Hellena . . . Pictures of people who were dust by now, stones and brooches and rings whose significance had been forgotten.

We hardly saw Mam during those days. All you could hear from the back bedroom was a sound like the rustling of a busy mouse fingering all the relics as if she was searching for something she couldn't find. Often I went to bed late and saw an edge of light under the door of the little bedroom and wondered what kept her there so long.

Once, when Mam was out, I ventured into the sanctum and was shocked by how many things it held. Mam had half-sorted them by putting them in different heaps on the bed. But it was obvious she'd never finish. That's when I saw the diary. It wasn't Bigw's, but her brother's for the year 1917. I took hold of it hesitantly, scared to open it. Until that point, Harri Bigw's Brother had been a character in a story, a tin soldier from the distant past who lived in Bigw's memory. Now that Bigw had gone Harri was deader than ever. And yet, as I fingered the pages of that confession, I realised what or who had in fact died – a boy, a brother, a man of flesh and blood who had lived and felt and breathed as I did.

'Felt tired today. Wrote letter home.'

Dyna'r geiriau olaf a ysgrifennwyd yn y llyfr ddeuddydd cyn ei farw. Mor sydyn roedd o'n gallu taro! Yn yr un bocs â'r dyddiadur, yr oedd pob math o bethau yn ymwneud â Harri – ei dystysgrif marwolaeth, y llythyr a hysbysai'r teulu o'i farw, lluniau ohono fel milwr, lluniau ohono'n fachgen, llun o'r bedd, ei lythyrau, ei gardiau. Roedd y bocs ei hun yn union fel bedd.

Treuliais dros awr yn rhyfeddu at yr holl bethau hyn, gan ddarllen ac edrych ar lawer o bethau na ddylwn eu gweld mae'n siŵr, ond mae gwedduster o'r math yna yn diflannu wedi i rywun farw. Cefais ddifyrrwch mawr yn edrych drwy lyfr lloffion Bigw ac wrth i mi edrych drwyddo, sylwais drwy gil fy llygad ar rywbeth cyfarwydd dan y gwely. Bag llaw Bigw oedd o – yr un peth y gwnawn yn siŵr ei fod ganddi wrth ei hochr yn gyson. Estynnais amdano a'i agor gan deimlo braidd fel merch fach yn meiddio stwnan yn eiddo gwaharddedig pobl mewn oed. Doedd dim byd ynddo ar wahân i'r hen grib, pwrs, hances, *eau-de-Cologne*, a'r 'Birthday Book' a roddais i yn anrheg iddi unwaith. Roedd blewyn neu ddau yn dal yn sownd yn y crib. I mi, y bag hwnnw oedd Bigw. Tydi o'n rhyfedd fel mae pethau sy'n perthyn i ni yn cael eu gadael ar ôl wedi i ni fynd? Rywsut, dylai popeth sy'n eiddo inni ddiflannu wrth i ni ddiflannu. Ond nid felly y mae. Dim ond ein cyrff sy'n mynd, mae popeth arall sy'n perthyn i ni, sy'n ymgorfforiad ohonom, yn aros. Dyma sy'n codi hiraeth.

Wrth fodio drwy'r 'Birthday Book' yn meddwl am yr hen wraig, syrthiodd darn o bapur – hen, hen bapur melyn brau – o'r llyfr.

'To Lisi – don't get drunk on your twenty-first!'

Tasa 'na neidr wedi saethu allan o'r bag, faswn i ddim wedi cael mwy o sioc. Bigw – Bigw hen, sych, fethedig yn cadw rhywbeth fel hyn! Pwy a'i rhoddodd iddi? Beth oedd ei arwyddocâd a'i gwnâi yn ddigon pwysig i gael ei gadw am ddeng mlynedd a thrigain? Yn sydyn, ynghanol yr holl bethau digalon yma, dyma fi'n gwenu, ac yna'n chwerthin yn uchel. Bigw! Hen hulpan ydw i. A ddaru mi feddwl erioed fy mod yn dy 'nabod?

Felt tired today. Wrote letter home.

Those were the last words in the book, two days before he died. How suddenly it could strike! In the same box as the diary, there were all sorts of things to do with Harri – his death certificate, the letter telling the family of his death, pictures of him as a soldier, pictures of him as a boy, a picture of the grave, his letters, his cards. The box itself was just like a grave.

I spent over an hour wondering at all these things, reading and looking at many things I probably shouldn't have seen, but seemliness goes by the board when someone dies. I was vastly entertained by looking through Bigw's scrapbook and as I looked through it, I noticed from the corner of my eye something familiar under the bed. It was Bigw's handbag – the one thing I made sure she had by her side at all times. I reached for it and opened it, feeling rather like a little girl daring to rummage in the forbidden possessions of grown-ups. There was nothing in it apart from the old comb, the purse, a handkerchief, *eau-de-Cologne*, and the 'Birthday Book' I'd given her once as a present. There was still a hair or two stuck in the comb. To me, that bag was Bigw herself. Isn't it strange the way all our possessions are left behind when we go? Somehow, everything which belongs to us should disappear as we disappear. But that isn't what happens. It's only our bodies that disappear, everything else that belongs to us, which is the quintessence of us, remains. This is what causes grief.

As I thumbed through the 'Birthday Book', thinking about the old lady, a piece of paper – an old, old, yellow, brittle paper – fell from the book.

'To Lisi – don't get drunk on your twenty-first!'

I couldn't have been more shocked if a snake had shot out of the bag. Bigw – old, dried-up, infirm Bigw – keeping something like this. What made it so important that she had to keep it for seventy years? Suddenly, in the middle of all these dismal things, I smiled, and then laughed out loud. Bigw! I'm such a fool. How could I ever really think I knew you?

Roedd yna hen awyrgylch anghyfforddus yn y car. Doedd Eleni ddim wedi dweud gair ers talwm fel petai wedi cael digon. Synhwyrai Bigw ei bod wedi colli diddordeb yn y daith. A ddylai hi geisio gwneud sgwrs neu gadw'n dawel? Roedd mor anodd gwybod efo Eleni, roedd yn hogan mor ryfedd. Ddeallodd Bigw mohoni erioed. Doedd ganddyn nhw ddim oll yn gyffredin. 'Blaw ei bod hi, Bigw, yn chwaer i nain Eleni, fydden nhw ddim yn gwneud y daith hon o gwbl. Weithiau, ni fyddai Bigw yn gweld Eleni am wythnosau maith, ac yna fe ddeuai i'w gweld ddwy waith mewn wythnos. Gallai fod yn annwyl iawn ar brydiau ond ar adegau eraill roedd fel creadures o fyd arall. Roedd yn gas gan Bigw feddwl fod Eleni yn dod i'w gweld o ran dyletswydd. Gwyddai fod Eleni a'i mam wedi cymryd mwy o ddiddordeb ynddi ar ôl i Hanna farw. Roedd fel petai Bigw yn llenwi'r gwacter yr oedd Hanna wedi ei adael ar ôl. Hi, Bigw, oedd cynrychiolydd – unig gynrychiolydd – y genhedlaeth hŷn bellach.

Pam oedd Eleni yn gwneud y daith hon gyda hi ? Ai helpu hen wreigen i gyflawni ei dymuniad olaf yr oedd? Ai tosturi oedd wrth wraidd y gymwynas? Gwingodd Bigw. Dyna oedd yn gyfrifol am yr anesmwythyd rhyngddynt. Roedd Eleni yn tosturio wrthi. Gallai ei deimlo yn y ffordd y byddai Eleni yn taflu golwg arni bob yn hyn a hyn, yn y modd y byddai yn ei helpu i gerdded, yn y ffordd y byddai'n gafael ynddi yn dynnach nag oedd eisiau.

I Eleni, doedd hi'n ddim amgen na hen lestr oddi ar dresel Anti Winni oedd yn werthfawr ac yn teilyngu parch dim ond am ei fod yn hen. Beth wyddai Eleni am ei gorffennol, am sut wraig oedd hi mewn gwirionedd, am gymaint o fywyd oedd yr esgyrn brau hyn wedi bod yn dyst iddo? Mor dwyllodrus y gall ymarweddiad person fod!

Sut yn y byd oedd hi wedi dirywio i'r fath gyflwr? I ble aeth y corff hardd hwnnw fu'n destun cymaint o edmygedd ers talwm? Pwy ddaru ddwyn y lliw o'i gwallt a'i gruddiau a'i gadael i sychu fel hyn? Pwy gymrodd oddi arni'r gosgeiddrwydd hwnnw oedd mor nodweddiadol ohoni, a phlygu ei hasgwrn cefn fel mai prin y gallai weld i ble roedd yn mynd? Mae'n rhaid fod ganddo ryw

18

There was a strange, uncomfortable atmosphere in the car. Eleni hadn't said a word for ages, as if she was fed up. Bigw sensed that she'd lost interest in the journey. Should she try to make small talk, or keep quiet? It was so difficult to know with Eleni, she was such a strange girl. Bigw had never understood her. They had nothing at all in common. If she, Bigw, hadn't been Eleni's grandmother's sister, they wouldn't be taking this journey at all. Sometimes, Bigw wouldn't see Eleni for weeks on end, and then she'd come and see her twice in a week. She could be very endearing at times: at others she was like a creature from another world. Bigw hated to think that Eleni came to see her out of a sense of duty. She knew that Eleni and her mother had taken more of an interest in her since Hanna died. It was as if Bigw filled the void Hanna had left behind. She, Bigw, was the representative – the only representative – of the older generation now.

Why was Eleni taking this journey with her? Was she helping an old biddy to achieve her last wish? Was pity at the root of this favour? Bigw flinched. That's what was responsible for the unease between them. Eleni felt pity for her. She could feel it in the way Eleni would throw her a glance every now and then, in the way she helped her walk, in the way she held her more tightly than necessary.

To Eleni, she was no more than a piece of old china from Aunty Winni's dresser, valuable and deserving of respect simply because it was old. What did Eleni know about her past, about the kind of woman she really was, how much life these fragile bones had really witnessed? A person's behaviour can be so deceptive!

How in the world had she declined to this state? Where had that beautiful body, once the subject of so much admiration, gone? Who stole the colour from her hair and cheeks, leaving her to desiccate like this? Who stole away the grace so characteristic of her, doubling over her backbone so she could hardly see where she was going? He must have an evil sense of humour. What thief found his way into her and took away her sight and hearing and sense of

synnwyr digrifwch ffiaidd. Pa leidr ddaru ganfod ei ffordd i mewn iddi a chymryd oddi arni ei gallu i weld a chlywed a blasu? Pam gafodd hi ei gadael yn wag a diymgeledd pan oedd pawb arall wedi cael mynd? Beth wnaeth hi i haeddu cael ei gadael ar ôl?

Gallai eu gweld yn cerdded o'i blaen yn awr – Gertie a David, Elsie, Dic a Muriel. Roedden nhw'n mynd yn eu blaenau yn hamddenol ar hyd y prom a hithau'n dal ei sawdl rhwng yr estyll pren. Gwaeddodd arnynt, ond roeddent wedi mynd yn rhy bell, ac roedd gormod o bobl o gwmpas. Syllai llygaid dieithr arni a theimlai yn wirion iawn. Yn y diwedd, trodd Muriel i edrych lle roedd, a rhedodd ati i'w helpu. Chwerthin ddaru nhw, chwerthin yn wirion wrth geisio datod yr esgid, a chwerthin a wnaethant wrth gofio'r digwyddiad flynyddoedd wedyn.

Mor felys oedd y cyfnod hwnnw, mor ddibryder eu dyddiau! Doedd dim i dywyllu'r ffurfafen, a doedd dim gofyn iddynt wneud mwy na mwynhau eu hunain. Yn ddigyfrifoldeb a gyda digon o gyfoeth i fyw ar eu harian, gallent fforddio treulio eu hamser yn canolbwyntio ar fyw bywyd i'r eithaf.

Melys, melys oedd yr atgofion hynny o gerdded milltiroedd yng nghwmni ei gilydd – nôl a mlaen ar hyd y prom, i dŷ hwn a'r llall am goffi, ac allan eto yn y prynhawn am dro yn y car, ac yna gwledda mewn gwestai. Doedd yn ddim ganddyn nhw ferched i hel eu traed i Lerpwl a dod yn ôl yn llwythog gyda phob math o ddanteithion a gwisgoedd cain. A'r partïon! Wyddai'r genhedlaeth hon ddim am y sbort a'r rhamant a'r hwyl gwallgo a gaent yn y partïon hynny. Dawnsio a gwledda tan yr oriau mân, ac yna llithro at y traeth dan olau lleuad i wrando ar addewidion ffôl rhyw gariad. Mynd a dod fel y llanw a wnâi'r cariadon hynny, ac mewn dim byddai eu haddewidion wedi diflannu fel olion eu traed yn y tywod. Ond fe ddeuai cariadon newydd a ffrindiau newydd, a fyddai neb ar ei ben ei hun, neb yn unig.

Er mai ar ei phen ei hun yr oedd yn byw wedi i'w thad farw, roedd yna rywun draw yn ei thŷ bob nos i gadw cwmni, neu fe gâi hi wahoddiad i dŷ cyfaill. Roedden nhw i gyd yn ffasiwn ffrindiau, a'u cyfeillgarwch yn gwlwm mor dynn fel na chredai y gallai neb ei ddatod.

Gwenai wrth gofio ei rhyfyg yn prynu'r car bach hwnnw, cael dwy wers yrru hanner awr, ac yna'n meiddio cychwyn i lawr i Lundain. Roedd hi wedi gwirioni cymaint ar y peiriant bach fel na fyddai India wedi bod yn rhy bell, ac roedd yn dda fod yna fôr ar ôl

taste? Why had she been left empty and uncherished when everyone else had been taken? Why did she deserve to be left behind?

She could see them walking in front of her now – Gertie and David, Elsie, Dic and Muriel. They were walking on at their leisure along the prom while she'd caught her heel between the wooden boards. She shouted to them, but they were already too far ahead, and there were too many people around. Strangers' eyes stared at her. She felt extremely silly. In the end, Muriel turned to see where she was, and ran to help her. They laughed, laughed foolishly as they tried to free the shoe, and laughed years later when they remembered the incident.

That time had been so sweet, their days so free of worry! There was nothing to cloud their sky, they had nothing to do but enjoy themselves. With no responsibility, comfortable enough to live on their money, they could afford to concentrate on living life to the full.

Sweet, sweet were the memories of walking for miles in each other's company – back and forth along the prom, to someone or other's house for coffee, and then out again in the afternoon for a spin in the car, then dining at a hotel. It was nothing for the girls to go off to Liverpool and come back weighed down with all sorts of delicacies and beautiful clothes. And the parties! This generation knew nothing of the sport and romance and the mad fun they had at those parties. Dancing and dining until the small hours, and then stealing to the beach in the moonlight to listen to the foolish promises of some lover. The sweethearts came and went like the tide, and in an instant their promises too had disappeared like their footprints in the sand. But new sweethearts, new friends would appear, and no one would be lonely or alone.

Although she lived alone after her father died, there was someone or other over at her house every night keeping her company, or she'd be invited to a friend's house. They were all such friends, and their friendship such a tight bond that she felt no one could loosen it.

She smiled as she remembered her mad presumption – buying that little car, taking two driving lessons of half an hour each, and then daring to start off for London. She was so taken with the little motor that India wouldn't have been too far for her, and it was a good thing there was sea after London, or who knows where she'd

Llundain, neu does wybod ble y byddai wedi cyrraedd. Daeth Maude a Muriel gyda hi yn syth ac ymunodd Alfred ar y daith. Dyna oedd cychwyn y garwriaeth rhyngddo ef a Maude. Wedi rhyw chwe awr yn y sedd gefn, yr oeddent wedi dod i adnabod ei gilydd yn dda iawn, a Muriel a hithau yn y sedd flaen yn wincio ar ei gilydd fod y 'match' wedi gweithio.

Os oedd partïon adref yn grand, doedden nhw yn ddim mewn cymhariaeth â'r gwleddoedd a gaed yn Llundain. Ac ar gyfer crandrwydd ar y raddfa yna, rhaid oedd cael gwisgoedd addas. Gwridai wrth feddwl cymaint o arian a warient – ar ddillad, bwyd a gwin, ond pwy a faliai? Olwyn ffair fawr oedd bywyd a'r un a fentrai fwyaf oedd yn ennill. Tra oedd bywyd yn braf, beth oedd o'i le ar ei fwynhau? Byddai digon o ofid yn dod i'w canlyn wedyn. Na, doedd hi'n difaru dim.

Dim ond yn hiraethu. Beth a roddai yn awr am gael teimlo breichiau cadarn Morris Reynolds yn gafael ynddi fel y gwnaeth y noson honno pan oedd yn bygwth ei lluchio i'r môr? Sgrechian a chwerthin ar y traeth wnâi pawb arall a hithau yn eu mysg nes iddi deimlo ei hun yn cael ei chario yn ei freichiau drwy'r awyr, a gwlybaniaeth y tonnau yn tasgu ei fferau a Morris yn wlyb at ei ganol. Dychrynodd, a gafael yn sownd am ei wddf. Tynhaodd ei afael yntau arni ac fe'i cusanodd hi'n frwd. Yn y diwedd, yr oeddynt yn wlyb at eu crwyn, ond roedd atgof am y noson honno mor fyw fel y gallai gofio'n awr wres ei gusan ar ei gwefus hallt.

Roedd Muriel a hithau mor agos â dwy gneuen, y ddwy mor wallgo â'i gilydd. Doedd dim modd eu gwahanu, ac roeddynt yn nes at ei gilydd na dwy chwaer. Byddai pobl yn dweud 'Lisi a Muriel' fel y dywedent 'pupur a halen' a daeth eu henwau yn gyfystyr â rhialtwch a mwynhad. Tyrrai ffrindiau o'u cwmpas fel gwenyn o amgylch blodau, ac roedd croeso i unrhyw un a oedd yn fodlon mwynhau ei hun i'r eithaf gan luchio pob gofal i'r pedwar gwynt.

A lle oedd Muriel yn awr? Mewn Cartref Henoed yng Nghonwy wedi colli ei chof. Y fath golled! Y tro diwethaf iddi gael ei gweld, ni wyddai Muriel pwy oedd hi, doedd hi'n ddim namyn dieithryn. Roedd yr holl atgofion wedi diflannu fel dŵr i lawr sinc a doedd dim modd cael gafael arnynt. Syllodd y ddwy ar ei gilydd, ond doedd dim synnwyr i'w gael. Ceisiodd Bigw bob enw person a lle y gallai feddwl amdanynt, rhag ofn iddi gyffwrdd rhyw allwedd gudd a fyddai'n agor meddwl ei ffrind, ond yn ofer. Gafaelodd yn

have ended up. Maude and Muriel came with her straight away and Alfred joined them on the journey. That was the beginning of the love affair between him and Maude. After a good six hours in the back seat, they'd got to know each other very well indeed, with Muriel and herself in the front seat winking at each other that the 'match' had worked out.

If the parties at home were grand, they were nothing to the feasts they had in London. And you needed the right clothes for grandeur on that scale. She blushed as she thought of how much money they spent – on clothes, food and wine, but who cared? Life was a great big wheel at a fair, and she who ventured won. While life was sweet, what was wrong with enjoying it? There would be time enough to worry later on. No, she didn't regret a thing.

She only longed. What would she give now to feel Morris Reynolds's strong arms around her as they'd been that night when he threatened to throw her into the sea? All the others did was scream and laugh on the beach. So did she until she felt herself carried through the air in his arms, the waves splashing her ankles and Morris wet right up to his middle. She got frightened, and held on tightly to his neck. He tightened his grasp on her in turn and kissed her avidly. In the end, they were soaked to the skin, but the memory of that night was so vivid that she could even now remember his kiss warm on her lips, tinged with salt.

Muriel and she had been as close as two peas in a pod, each as mad as the other. They were inseparable, closer to each other than sisters. People would say 'Lisi and Muriel' as they said 'salt and pepper' and their names became synonymous with enjoyment and merriment. Friends flocked around them like bees around flowers. Anyone who was willing to enjoy himself to the extreme, throwing all caution to the winds, was welcome.

And where was Muriel now? In an old people's home in Conwy, her memory gone. What a loss! The last time she'd been allowed to see her, Muriel hadn't known who she was. She was no more than a stranger. All the memories had disappeared like water down a sink and there was no way of getting them back. The two stared at each other, but there was no sense to be had from her. Bigw tried out the names of every person and place she could think of, in case she might touch some secret key that would open her friend's mind, but in vain. She clutched her hands and said their names over and

ei dwylo ac ynganu enwau'r ddwy ohonynt drosodd a throsodd . . .
Lisi a Muriel . . . Lisi a Muriel . . . Lisi . . . a Muriel?

Chwiliodd wyneb Muriel am rithyn o oleuni, ond nid wyneb
Muriel mohono. Roedd rhywbeth dychrynllyd wedi digwydd iddo.
Roedd fel petai brân farus wedi bod yn ei bigo ym mhob man, ac
wedi gadael olion ei thraed blêr drosto. Muriel . . . ?

Curodd ar ddrws ei chof yn daer, ond ni chafodd groeso. Doedd
dim yn bod ar olwg ei ffrind. Gallai Muriel weld y person o'i blaen,
ond nid oedd yn golygu dim byd. Arhosai'r ddelwedd yn negatif yn
ei phen, ac ni allai fynd drwy'r broses o'i ddatblygu. Yn raddol,
toddodd yn ddim a daeth delwedd arall i'w phen. Roedd cadair wag
o'i blaen. Roedd Bigw wedi mynd.

Addawodd Bigw na fyddai byth yn dychwelyd i'r Cartref hwnnw
eto. Roedd rhai ffrindiau yn gallu ei gadael cyn cael eu claddu hyd
yn oed. Ddychmygodd hi erioed y gallai henaint chwarae tric mor
gas arni.

*   *   *

'Oes gennych chi hances, Eleni?'
'Oes, mae 'na focs o hancesi papur yn rhywle.'
'Oes bosib i mi gael un yn awr, mae nhrwyn i'n rhedeg.'

Dim ond yr ochenaid leiaf a roddodd Eleni wrth stopio'r car, ond
roedd yn ddigon i Bigw ei chlywed. Tyrchodd o gwmpas y car yn
chwilio am y bocs hancesi a daeth o hyd iddo'n y diwedd gan estyn
un a'i rhoi yn llaw Bigw. Sychodd Bigw ei thrwyn – roedd yn gas
ganddi hancesi papur, fydda hi byth yn eu defnyddio 'blaw bod
raid. Dyna grynhoi'r gwahaniaeth rhwng ei hoes hi ac oes Eleni.
Cenhedlaeth hancesi papur oedd un Eleni, cenhedlaeth sanau silc a
hancesi lês oedd ei un hithau.

over . . . Lisi and Muriel . . . Lisi and Muriel . . . Lisi . . . and Muriel?

She searched Muriel's face for a glimmer of light, but it wasn't Muriel's face. Something dreadful had happened to it. It was as if a greedy crow had been pecking away at every part of it, and had left the untidy traces of its feet all over it. Muriel . . . ?

She knocked fervently on the door of her memory, but there was no welcome there. There was nothing wrong with her friend's sight. Muriel could see the person in front of her, but she meant nothing. The image in her head was a negative she couldn't develop. Gradually, it dissolved into nothing and another image came into her mind. There was an empty chair in front of her. Bigw had gone.

Bigw promised herself she would never go back to that home. Some friends could leave her even before they were buried. She'd never imagined old age could play such a cruel trick.

* * *

'Have you got a handkerchief, Eleni?'

'Yes, there's a box of tissues somewhere.'

'Could I have one now? My nose is running.'

Eleni gave just the slightest sigh as she stopped the car, but it was loud enough for Bigw to hear. She delved around the car searching for the tissues and found them in the end. She took one out and put it in Bigw's hand. Bigw dried her nose – she hated paper handkerchiefs, she never used them unless she had to. That summed up the difference between her era and Eleni's. Eleni's generation was a paper-tissue generation. Hers was the generation of silk stockings and lace handkerchiefs.

Estyll noeth oedd dan draed heb garped i'w cuddio. Gan i'r capel yr arferai Bigw addoli ynddo yn ifanc gael ei dynnu i lawr, bu raid bodloni ar y festri. Mor wahanol ydoedd i'r hyn a ddychmygais amdano. Cafodd y cyfan ei wneud ar frys, a doedd yna neb fel petai ganddo ryw lawer o amynedd. Aeth amser maith heibio ers i'r aelod dwytha o'r teulu farw ac nid oedd neb fel tasa fo'n cofio'n iawn sut oedd trefnu cynhebrwng.

Yn niffyg Sêt Fawr, gosodwyd mainc yn y blaen ac ar hon y rhoddwyd arch Bigw. Roedd fel petaen ni wedi cael menthyg cegin rhywun i gyflawni defod ddylai gael ei chynnal yn y parlwr. Ar wahân i'n teulu ni, a rhyw berthnasau pell yr oeddwn wedi anghofio amdanynt, dim ond dau arall oedd yn bresennol. Hen ŵr a hen wraig hynafol a eisteddai yn llonydd iawn mewn du reit yn y cefn oeddynt. Oni bai eu bod wedi pesychu unwaith neu ddwy, byddwn wedi dechrau amau cynhebrwng pwy oedd o.

Syllais ar yr arch. Er mai dim ond pedwar diwrnod oedd wedi mynd ers iddi farw, teimlwn ei bod wedi ein gadael ers oesoedd, ac eto, dyna lle roedd hi o'n blaenau yn yr arch. Bron yn ddigon agos i mi ei chyffwrdd. Dywedwyd ychydig eiriau amdani, a chafwyd rhyw lun ar bregeth, os cofiaf, ond doedd na ddim siâp ar y canu. Doedd yr aelodau pell o'r teulu ddim yn gyfarwydd â'r geiriau, ac o'r rhai a wyddai'r geiriau, y peth diwethaf yr oeddynt eisiau ei wneud oedd canu. Dydw i ddim hyd yn oed yn cofio pa emynau oeddynt yn awr.

Roeddwn yn meddwl am yr adeg olaf y gwelais i Bigw. Rhyw dair wythnos ynghynt oedd hi, ac roedd yn achlysur mor ddiurddas. Roedd hi wedi dod am de i'n tŷ ni a finnau wedi cyrraedd adre'n hwyr, ac wedi colli'r te. Bu raid i Mam adael Bigw yn ein gofal am ei bod yn gorfod mynd i rywle. Fel yr oedd ar fin mynd adref, dywedodd Bigw ei bod eisiau 'mynd i'r House-of-Lords'. Mam fydda'n arfer gofalu am hyn, a wyddwn i ddim yn iawn beth i'w wneud gan na allwn i byth ei chael i fyny'r grisiau. Yn y diwedd, euthum â hi yn ei chadair olwyn at ddrws y lle chwech yn y cefn, a cheisio ei llusgo i mewn gan adael y pulpud tu allan.

Underfoot there was nothing but bare, uncarpeted boards. As the chapel Bigw worshipped in when she was young had been demolished, we had had to make do with the vestry. It was so different to what I had imagined. It had all been done in a hurry, and nobody seemed to have much patience with it all. A long, long time had gone by since the last member of the family had died and no one seemed to know, really, how to organise a funeral.

As there was no deacons' seat a bench was positioned at the front of the room and Bigw's coffin placed on this. It was as if we'd been lent someone's kitchen to enact a ritual that should, by rights, have been performed in the parlour. Apart from our family, and some distant relatives I'd forgotten about, there were only two other people present, an ancient old woman and a man in black who sat perfectly still, right at the back. If they hadn't coughed once or twice I would have started to wonder whose funeral it was.

I stared at the coffin. Although only four days had passed since she'd died, I felt that she'd left us ages ago and yet, here she was in front of us in the coffin. Almost close enough for me to touch her. A few words were said about her, and there was some kind of sermon, I think, but the singing was terrible. The distant cousins didn't know the words, and the last thing we, who knew the words, wanted to do was sing. I don't even remember now which hymns they were.

I thought about the last time I'd seen Bigw, some three weeks before that. It had been such an undignified occasion. She'd come to our house for tea and I'd got home late and missed the tea. Mam was going somewhere so she'd had to leave us to look after Bigw. As she was about to leave, Bigw said she wanted to visit 'the House of Lords'. It was Mam who usually arranged this. As I couldn't get her up the stairs I wasn't sure what to do. In the end, I took her, in her wheelchair, to the door of the toilet out the back, and tried to drag her in, leaving her walking frame outside. It was

Roedd y lle rhy fach i neb allu troi ynddo, a doedd Bigw'n gallu gwneud dim heb mod i'n gafael yn dynn ynddi. Ni fedrwn ddianc allan hyd yn oed i roi rhywfaint o breifatrwydd iddi, dim ond sefyll uwch ei phen yn syllu ar ei chorun moel a'i gwallt nad oedd yn ddim mwy na blew ysgafn arno. Wn i ddim p'un ohonom oedd yn teimlo'r cywilydd mwyaf. Sylweddolais y byddai'n rhaid i mi ei sychu hefyd tra safai hi yn amyneddgar yn gafael yn y drws. Meddyliais sawl gwaith y bu'n rhaid i Mam wneud hyn. Bron nad oedd gen i ofn ei chyffwrdd gan mor llac a thenau oedd ei chroen. Drysais yn llwyr wrth geisio rhoi ei dillad yn ôl gan fod ganddi gymaint o haenau amdani.

'Mae'n ddrwg gen i, Bigw,' meddwn i, yn trio gwneud iddi deimlo yn llai anghyfforddus.

'Hitiwch befo,' meddai hithau, yn sefyll fel delw yn disgwyl i'r holl bantomeim ddod i ben, 'rydw i wedi arfer efo bob siort bellach.'

Ia, ond nid 'bob siort' oeddwn i. Eleni oeddwn i, ac roedden ni'n perthyn. Roedd mwy o ots gen i amdani hi na'r un o'r merched yn y Cartref yna oedd yn gweini arni'n ddyddiol. Nid cweit digon o ots i roi mywyd i ofalu amdani fel y gwnaethant hwy, ond roedd yn golygu dipyn go lew i mi.

Pan oedd Dad yn ei danfon adref, eisteddais wrth ei hochr ar y sedd gefn i'w hebrwng yn ôl i'r Cartref. Roedd ei dwylo yn oer iawn fel arfer. Rhoddais fy mraich drwy ei braich hi ac roedd fel petai'n falch mod i'n gafael ynddi. Wrth i ni fynd yn y car, aeth Bigw yn fwy ac yn fwy cysglyd nes y rhoddodd ei phen ar fy ysgwydd ac ildio i gwsg. Gwrandewais ar ei hanadlu afreolaidd a chofiaf feddwl am ba hyd y byddai hon gyda ni eto. Roeddwn eisiau iddi aros felly am byth, yn pwyso arnaf, a finnau'n teimlo 'mod i'n gallu bod o rywfaint o gysur iddi.

Pan ddaru ni gyrraedd y Cartref, bu raid ei deffro, a daeth merched y Cartref at y car a chymryd Bigw oddi wrthyf. Gosodwyd hi yn ei chadair yn y parlwr a gwnes yn siŵr fod ei bag llaw ganddi. Rhoddais gusan ysgafn ar ei boch a theimlais flew ei wyneb ar fy nghroen. Wedi ffarwelio â hi, cododd ei llaw fel plentyn i ddweud ta-ta. Wrth inni fynd heibio ffenest y Cartref, dyna lle roedd hi yn dal i estyn ei llaw allan mewn ystum ffarwel er ein bod wedi mynd o'i golwg. Hwnnw oedd y tro olaf i mi ei gweld.

Oedd, roedd yr arch yn ddigon agos i mi ei chyffwrdd, a daeth ysfa drosof i wneud hynny. Ond ddaru mi ddim. Dilynais bawb arall allan o'r festri ar ddiwedd y gwasanaeth a sefyll yn y glaw yn

too narrow to turn round in, and Bigw couldn't do anything unless I kept a tight hold on her. I couldn't get out even to give her a bit of privacy, just stand above her staring at her bald crown and the hair, no more than a light fluff over it. I don't know which of us felt the more ashamed. I realised that I'd have to dry her too while she stood there patiently, holding on to the door. I wondered how often Mam had had to do this. I was almost afraid to touch her, her skin was so slack and thin. She was wearing so many layers of clothes, I got totally mixed up trying to put them back on.

'I'm sorry, Bigw,' I said, trying to make her feel less uncomfortable.

'It doesn't matter,' she said, standing there like a statue waiting for this pantomime to come to an end. 'I'm used to all sorts by now.'

Yes, but I wasn't 'all sorts'. I was Eleni. We were related. I cared more about her than any of those girls in the Home who looked after her every day. Not quite enough to spend my life looking after her like they did, but she meant a great deal to me.

I sat by her in the back seat while Dad took her home. As usual her hands were very cold. I put my arm through hers. She seemed to be glad I was touching her. As we drove on, Bigw got sleepier and sleepier until she put her head on my shoulder and drifted off. I listened to her irregular breathing and I remember wondering how long she'd be with us yet. I wanted to stay like that for ever: her leaning on me, and me feeling I could be a bit of comfort to her.

When we got to the Home, I had to wake her. The girls came out to the car and took Bigw away. They put her in her chair in the parlour and I made sure she had her handbag. I kissed her lightly on the cheek and felt the hair on her face on my skin. When I said goodbye, she raised her hand like a child to say ta-ta. As we went past the window of the Home, there she was, still holding out her hand in a gesture of farewell although we had gone from her sight. That was the last time I saw her.

Yes, the coffin was close enough for me to touch it. Suddenly I longed to do so. But I didn't. I followed everyone else out of the vestry at the end of the service and stood in the rain trying to come to terms with the knot of feelings inside me. Bigw in a coffin!

171

ceisio dod i delerau â'r cymhlethdod teimladau oedd ynof. Bigw mewn arch! Fedrwn i ddim credu'r peth. Bigw wedi marw – roedd fel breuddwyd na allwn i ddod allan ohoni. Syllais ar y dynion dieithr yn rhoi yr arch yn y car, a sylwais ar hen ŵr yn cloi drws y capel. Tybed a oedd enw Bigw yn golygu rhywbeth iddo ef? Aeth pawb i'w ceir ac roedd pob un ohonynt yn iawn, neb eisiau help. Ar bob achlysur arall yr oeddem yn cyfarfod fel teulu, yn briodas, yn fedydd, yn Ddolig, roedd wastad angen gwneud trefniadau ynglŷn â Bigw. Sicrhau fod rhywun efo hi drwy gydol yr amser a gwneud yn siŵr fod rhywun arall wrth law i helpu. Tro yma, doedd angen neb, roedd Bigw yn fwy didrafferth nag erioed o'r blaen. Pam na fasan ni wedi cael y syniad yma'n gynt o'i symud o gwmpas mewn bocs pren?

Roedd y cyfan mor ddieithr i mi. Wyddwn i ddim i ble roedden ni'n mynd. Wyddwn i ddim beth i'w ddweud, wyddwn i ddim sut i ymddwyn. Roeddwn i'n ceisio'r rhyddhad oedd i'w gael mewn dagrau, ond doedd neb arall yn crio, felly ddaru minnau ddim chwaith. Wrth fynd i fyny allt serth, gul Penlan, dangosodd Mam lle roedd Bigw yn byw ers talwm, a lle yr arferai hithau chwarae pan âi i'w gweld. Roedd yn gwbl ddieithr. Roeddwn wedi cymryd erioed mai yn Fynwent Fron y câi Bigw ei chladdu, efo Taid a Nain. Ddaru mi ddim ystyried mai gyda ei thad a'i mam hi y câi ei rhoi i orwedd, pobl oedd yn ddieithr i mi, a mynwent nad oedd gen i ddim atgofion i'w chysylltu â mi.

Hen hen fynwent oedd Fynwent Garn gyda cherrig beddau uchel tywyll y ganrif ddiwethaf yn llenwi'r lle. Camodd pawb rywsut rywsut dros y gwair hir gwlyb yn rhannu ambarel efo'r naill a'r llall. Gymaint brafiach fyddai hi wedi bod petai pawb arall wedi diflannu a gadael Bigw a minnau ar ein pennau ein hunain. Byddwn i wedi ei rhoi i orwedd yn esmwyth yn y bedd gyda photel ddŵr poeth a'i chusanu'n ysgafn cyn gadael. Edrychais ar y galarwyr. Rhyw dystion digon gwael oeddem. Roedd gan bob un ohonom ein bywydau bach ein hunain i ddychwelyd atynt unwaith y byddai'r cynhebrwng hwn ar ben. Doedd neb am golli dagrau yn ormodol dros rywun mor hen. Rywsut, mi fuo hi fyw dipyn bach yn hwy nag oedd yn weddus, dipyn bach yn rhy hir i ddisgwyl cydymdeimlad, a doedd dim gwadu ei bod wedi gwneud ei hun yn dipyn o faich. Wrth iddi gael ei gostwng i'r bedd, roedd fel petai pawb yn rhoi ochenaid fechan o ryddhad.

Ddaru ni ddim canu wrth y bedd – roedd hi'n bwrw gormod. Roedd pawb yn wlyb at eu crwyn, a doedd dim synnwyr ein bod

I couldn't believe such a thing. Bigw dead – it was like a dream I couldn't escape. I stared at the strangers putting the coffin in the hearse, and noticed an old man locking the chapel door. I wondered whether Bigw's name meant anything to him? All the people went to their cars and they were all all right, no one needed any help. On every other occasion we'd met as a family – weddings, christenings, Christmas, we'd always had to make arrangements for Bigw. Make sure she had someone with her at all times, make sure there was someone else at hand to help. This time, there was no need. Bigw caused less trouble than ever before. Why hadn't we had this idea sooner? Moving her around in a wooden box?

It was all so alien. I didn't know where we were going. I didn't know what to say, I didn't know how to behave. I was looking for the relief that tears bring, but no one else was crying, so I didn't either. As we went up Penlan's steep, narrow hill, Mam showed me where Bigw used to live, and where she'd played as a child. It was quite foreign to me. I'd always taken it for granted that Bigw would be buried in Fron Cemetery, with Taid and Nain. I hadn't considered she'd be laid to rest with her mother and father, people who were strangers to me, in a cemetery that held no memories at all.

Garn Cemetery was an old, old graveyard, full of the tall stark gravestones of the nineteenth century. Everyone struggled through the long wet grass, sharing umbrellas with whoever happened to be handy. It would have been so much nicer if everyone else had disappeared and left Bigw and me by ourselves. I would have laid her smoothly to rest in the grave with a hot water bottle and kissed her lightly before leaving. I looked at the mourners. We were a poor enough crowd of witnesses. Each of us had his own little life to get back to once this funeral was over. No one felt like shedding too many tears for such an old woman. Somehow, she'd lived a little bit longer than was seemly, a little bit too long to expect our sympathy, and you couldn't deny she'd made herself a bit of a nuisance. As she was lowered into the grave, everyone seemed to give a little sigh of relief.

We didn't sing by the graveside – it was raining too heavily. We were all soaked to our skins, and it was silly being out in such weather. The sooner we found shelter, the better. Why didn't I stay

allan yn y fath dywydd. Gorau po gyntaf yr aem i fochel. Pam na faswn i wedi aros yno? Aros yno a gwlychu'n domen a gadael i'r holl law olchi f'euogrwydd i a gwlychu fy ngruddiau yn niffyg dagrau. Pam na faswn i wedi bod yn ddigon cryf i ganu, dim ond un pennill, uwch ben ei bedd? Roedd hi mor hoff o emynau.

Ddaru mi ddim. Heb edrych yn ôl unwaith, prysurodd pawb i'w ceir ac i'r caffi yn y dref i gael te. Wrth daenu menyn ar y sgons a helpu ein hunain i gacenni jam a hufen, llifai'r rhyddhad drosom a daeth normalrwydd yn ôl i'n plith. Tywalltwyd y te i'r cwpanau ac roeddem ni, y rhai byw, yn yfed ac yn sgwrsio fel cynt. Yn wir, cyn bo hir, roeddem yn chwerthin ac yn adrodd straeon. Buom at ochr y dibyn ond ni ddaeth ein tro. Buom yn dyst i angladd hen geiniog a aeth dros yr ochr, ond roedd gennym ni beth amser yn weddill. Roedd tincial y llwyau ar y soseri yn sŵn mor gyfforddus o fydol, ac roedd cymaint o gysur i'w gael mewn paned. Mor esmwyth oedd y menyn ar ein tafodau a golchodd y te bob atgof o bydredd a phridd a phethau digalon felly o'n cegau. Mewn dipyn, roedd fel petai dim oll wedi digwydd. Rhyw grych ar wyneb y dyfroedd ydoedd, dim mwy. Roedd y cynhebrwng ar ben.

*   *   *

Mi ddaru mi ddychwelyd yno – rhyw ddydd pan oedd hi'n dipyn brafiach, a neb arall o gwmpas. Dim ond petalau'r blodau oedd ar ôl a cherdyn yn llawysgrifen Mam wedi ei ddifetha gan y glaw, 'Er Cof am Bigw'. Roedd o mor syml. Bu bron i mi ei gymryd i gael rhywbeth i gofio amdani, ond meddyliais y byddai'n well i mi beidio rhag dod ag anlwc . . . dylid gadael y meirw mewn hedd. Tybed lle roedd hi'n awr, oedd hi'n gorffwyso, oedd hi mewn hedd, neu oedd hi'n crwydro dan y ddaear fel cynt eisiau mynd adref? Roedd hi wedi bod gyda ni ers cyhyd, a phrin yr oeddwn yn ei hadnabod. Petawn i ond wedi cael mwy o amser yn ei chwmni. Ond tra oedd hi'n fyw, roedd yna gymaint o bethau difyrrach i fynd â'm bryd.

Wedi iddi fynd, roedd o fel petai plwg wedi ei dynnu yn fy mhen, a llifodd yr atgofion yn ôl i mi. Pethau bach, ond pwysig. Y ffordd roedd hi'n gallu edrych yn ddigon direidus, ei synnwyr digrifwch – oedd mi oedd ganddi hi un – ei harferion oedd yn perthyn i'r oes o'r blaen, ei dewrder a'r ffordd yr oedd hi mor galed efo hi ei hun. Doedd dim arlliw o hunan-dosturi yn perthyn iddi. Y noson wedi iddi farw, euthum i'r gwely, ac wrth godi fy nghoesau

there? Stay there and get soaked and let all that rain wash away my guilt and wet my tearless cheeks? Why wasn't I strong enough to sing just one verse above her grave? She loved hymns.

I didn't. Without a backward glance, everyone hurried to their cars and on to the café in town for tea. As we spread butter on the scones and helped ourselves to jam and cream cakes, the relief flooded over us. Normality returned. We poured tea into cups and we, the living, were eating and talking again. Indeed, before long, we were laughing and telling stories. We'd been to the edge of the void but it wasn't our turn. We'd been witnesses at the funeral of an old penny who'd rolled over the edge, but we had time left still. The tinkle of the spoons on the saucers was such an easy, worldly sound and there was so much comfort in a cup of tea. How smooth the butter was on our tongues as the tea washed away all memory of earth and decay and other depressing thoughts from our mouths. In a while, it was as if nothing had happened. It had been merely a ripple on the face of the water, nothing more. The funeral was over.

*   *   *

I went back there – on a much sunnier day, when there was no one else around. Only the flower petals remained, and a card in Mam's handwriting, ruined by the rain, which read, 'In Memory of Bigw'. It was so simple. I almost took it away with me to have something to remember her by, but I thought I'd better not in case it brought bad luck. The dead should be left in peace. Where was she now, I wondered, was she resting, was she at peace, or was she wandering around under the earth looking for her home, as she used to? She'd been with us for so long, and I barely knew her. If only I'd had more time in her company. But while she'd been alive, there'd been so many more enticing things to think about.

After she'd gone, it was as if someone had pulled a plug in my head. The memories flooded back to me. Small but important things. The way she could look so mischievous, her sense of humour – yes, she did have one – her old-fashioned ways, her bravery and the way she was so hard on herself. She hadn't a scrap of self-pity. The night after she died I went to bed and as I raised my legs from the floor a picture of Bigw came vividly to my mind. She used to sit on the edge of the bed, then we'd raise her legs and turn her on her side. She'd curl up into a little ball and we'd give

175

oddi ar y llawr, daeth llun o Bigw yn fyw iawn i'm cof. Byddai Bigw yn eistedd ar erchwyn y gwely a byddem yn codi ei choesau a'i throi ar ei hochr. Gwnâi Bigw ei hun fel pelen a byddem yn rhoi'r botel ddŵr poeth iddi. Fe'i cymerai yn ddiolchgar a dweud, 'Fy ffrind gorau i'. Pa unigrwydd eithafol sydd yn rhaid i rywun ei ddioddef cyn cyfaddef mai potel ddŵr poeth yw ei ffrind gorau?

Rwy'n cofio pethau megis y cysur a gâi o sipian taffi ac yfed te, y camau byr a gymerai wrth gerdded, a'r ffordd y byddem yn dal ein gwynt rhag ofn iddi syrthio. Ei dwylo hir oer a'r bysedd cam, ei phen noeth a'i hosgo – daethant i gyd yn ôl i mi yn fyw ac yn llachar iawn.

Doedd hi ddim yn un a wisgai dlysau o unrhyw fath, ond mi fedra i gofio un neu ddau o bethau oedd ganddi ers cyn cof. Clamp o froitsh crand a fyddai'n ei gwisgo ar ei chôt orau, rhaff o berlau a roddai am ei gwddf ar ddiwrnod Dolig, a'r wats. Y wats ydw i'n ei chysylltu fwyaf efo hi. Wats dyn oedd hi, wats ei thad, ac os bu farw hwnnw yn nau ddegau'r ganrif hon, dyn a ŵyr faint oedd ei hoed. Roedd wyneb y wats, a fu unwaith yn wyn, wedi melynu nes ei fod yr un lliw â chroen Bigw. Ffydd yn unig oedd yn dal y strap lledr at ei gilydd – doedd hi byth yn gallu ei gau, a byddai'n rhaid i un ohonom ni ei gau drosti. Byddai'r strap mor llac fel mai'r unig ffordd o'i gadw ar ei garddwrn fyddai ei gau dros ei llawes. Y Dolig cyn iddi farw, dyma ni'n rhoi strap lastig am y wats, un y gallai Bigw ei roi am ei garddwrn ei hun ac yr oedd yn ffitio yn llawer gwell. Biti na fyddai rhywun wedi cael y syniad hwnnw hanner can mlynedd ynghynt. Tybed i ble yr aeth y wats honno – yr un a fu'n cyfri'r oriau i Bigw, a'r wyneb a gadwodd yn fwy ffyddlon iddi na'r un? Y bysedd rheini fu ar ei garddwrn gyhyd yn cadw golwg ar guriad ei chalon, ac a ddynododd iddi'r awr y dylai gael ei chodi a'i bwydo a'i rhoi i orwedd drachefn? Mi faswn i wedi licio ei chadw.

Fedra i ddim credu na chaf i ei gweld hi eto byth.

her the hot water bottle. She'd take it gratefully and say, 'My best friend'. What kind of loneliness do you have to suffer before admitting that your best friend is a hot water bottle?

I remember things like this: the comfort she got from sucking toffee and drinking tea, the tiny paces she took when she walked, the way we held our breath in case she fell. Her long cold hands and her crooked fingers, her bare head and her bearing: they all came back to me, vivid and bright.

She wasn't one for wearing jewellery of any kind, but I remember one or two things she'd always had. An enormous grand brooch she used to wear on her best coat, a string of pearls she'd wear round her neck on Christmas day, and the watch. It's the watch I really associate with her. It was a man's watch, her father's, and if he'd died in the nineteen twenties, then goodness knows how old the watch was. The face of the watch, which had once been white, had yellowed until it was the same colour as Bigw's skin. It was faith and faith alone that held the leather strap together – she could never close it, and one of us would have to fasten it for her. The strap was so loose that the only way of keeping it on her wrist was to fasten it over her sleeve. The Christmas before she died, we put an elastic strap on the watch, one that Bigw could put on her wrist herself and which fitted far better. What a pity no one had had that idea fifty years ago. I wonder where that watch went – the one that counted the hours for Bigw, the most faithful face of all? The fingers that had lain on her wrist such a long time, keeping an eye on the beat of her heart, telling her when she could be got up and fed, when laid back down to rest? I would have liked to have kept it.

I can't believe I shall never see her again.

20

Y fraich oedd yn agor ffenest ochr y gyrrwr oedd y peth diweddaraf i fynd. Cawn yr argraff fod y car yn araf ddadfeilio. Tro dwytha yr edrychais i ar y tu blaen, roedd y plât a nodai rif y car wedi diflannu. Gwyddwn ei fod yn rhydd ers tro, ac roeddwn i wedi bwriadu tynhau'r sgriw, ond rhaid ei fod wedi mynd yn angof. Hen bethau diamynedd ydi ceir. Os nad ydych yn tendian arnynt yn syth, maent yn datgymalu. Tybed pa mor angenrheidiol ydi cael plât newydd? Oni bai ei fod yn drosedd mawr, waeth gen i fynd o gwmpas heb rif. Fydda i byth yn ei gofio p'run bynnag. Dyna'r drafferth efo car – mae 'na gymaint o bethau bach yn gallu mynd o chwith – mae'r drwydded ar y ffenest flaen yn dod yn rhydd drwy'r amser, dydi'r golau ddim yn gweithio'n iawn, dydi'r mesurydd petrol rioed wedi gweithio, ffenest y gyrrwr wedi torri, y clo ddim yn cloi, dŵr yn gollwng a ballu. A hwya'n y byd rydych chi'n gadael i'r pethau hyn fod, mwya 'da chi'n gweld eu colli, nes fod y car yn llawn problemau, ac mae'r pethau bach yn mynd yn bethau mawr. Tydi'r ffaith fod ffenest f'ochr i ddim yn agor ddim yn beth mawr, ond mi synnech gymaint o adegau rydych chi eisiau ei hagor – naill ai i siarad efo rhywun neu i roi prês mewn peiriant a ballu. Dwi wedi dod i arfer bellach efo stopio'r car ac agor y drws, ond peth bach fydda trwsio'r ffenest, mae'n siŵr. Rŵan, dyna fraich y ffenest wedi dod yn rhydd ac mi fydd yn rhaid i mi gael rhywun i'w rhoi yn ei hôl. Twt lol.

Wrth gofio'r holl bethau rydw i yn anghofio eu gwneud ynglŷn â'r car, dwi'n cofio mod i wedi anghofio y grêps a'r da-da oedd Mam eisiau i mi eu rhoi i Bigw ar fwrdd y gegin. Mae gen i gof fel gogor. A Mam wedi mynd i'r drafferth i'w cael yn barod ac wedi fy siarsio rhag mynd hebddynt. Ar hyd y blynyddoedd, ac yn enwedig ers i Nain farw, mae Mam wedi bod yn ofnadwy o dda efo Bigw. Byddai yn mynd i weld Bigw bob wythnos ac yn ei ffonio'n ddyddiol cyn iddi fynd i'r Cartref. Fydda hi byth yn mynd yno'n waglaw chwaith – roedd Bigw mor hoff o dda-da fel y bydda Mam yn mynd â digon efo hi i bara wythnos, a byddai yno darten fala, pwdin, lobscows, a thipyn o gacennau yn ei basged bob tro. Pan

20

The handle for the driver's window was the latest thing to go. I was beginning to realise that the car was slowly falling to pieces. The last time I'd looked at the front, the number plate had disappeared. I knew it had been loose for some time, and I'd meant to tighten the screws, but I must have forgotten. Cars are impatient old things. If you don't tend to them straight away they come apart. I wonder how important it is to get a new plate? Unless it's a criminal offence, I don't mind going about without a number plate. I can never remember the number anyway. That's the trouble with a car – so many little things can go wrong. The tax disc on the windscreen is always falling off, the light doesn't work properly, the petrol gauge has never worked, the driver's window is broken, the lock doesn't lock, it lets in water and so on and on and on. And the longer you ignore these things, the more you miss them, until the car's full of problems, and the small things turn into big things. The fact that my side window doesn't open isn't a big thing, but you'd be surprised how often you want to open it – to talk to someone or to put money in a machine or something. I've got used now to stopping the car and opening the door, but it wouldn't take much to mend the window, surely. Now the window handle's come off and I'll have to get someone to put it back. Damn.

As I remember all the things I've forgotten to do about the car, I remember that I've left the grapes and sweets Mam wanted me to give Bigw on the kitchen table. I've got a memory like a sieve. And Mam had gone to trouble to get them ready and had reminded me not to go without them. Over the years, especially since Nain died, Mam has been amazingly good to Bigw. She'd go and see her every week and phone her every day before she went into the Home. And she'd never go empty-handed, either – Bigw was so fond of sweets that Mam would take her enough to last a week, and there'd always be an apple pie, a pudding, a stew and some cakes in her basket too. When she came back from Bigw's house, she'd have swapped

ddychwelai o dŷ Bigw, byddai wedi cyfnewid y danteithion am gyfnasau gwely a dillad budron, ac erbyn yr wythnos ganlynol, byddai'r cyfan wedi cael eu golchi a'u smwddio'n berffaith.

Fydda neb yn meddwl dim am dripiau Mam i Garneddau, dim ond eu cymryd fel un o'r pethau hynny oedd Mam yn licio eu gwneud, ond o feddwl yn ôl, mi oedd angen dipyn o galon i ofalu felly am hen berson. Pan aeth Bigw yn sâl, ddaru Mam ddim ystyried ddwywaith cyn dod â hi adref i'n tŷ ni, ac un o ofidiau mawr ei bywyd oedd nad oedd hi wedi gallu ei chadw efo ni. Ddaru hi erioed faddau iddi hi ei hun am adael i Bigw fynd i Gartref. Ac wedi iddi fynd i'r Cartref, byddai ymweliadau Mam yr un mor gyson. Bob pnawn dydd Iau am dair blynedd, i ffwrdd â Mam gyda'r grêps a'r da-da a thipyn o fisgedi yn ei basged.

Bob Dolig neu adeg pen-blwydd, poendod mawr Mam fydda beth i'w gael yn anrheg i Bigw. Fydda Bigw byth yn gwerthfawrogi'r ffaith, ond wyddai hi ddim gymaint o ymdrech oedd o'n ei olygu i Mam. Pan 'da chi'n naw-deg-rwbath, does yna fawr o ddim byd yr ydych chi ei angen, ond mi fydda Mam wastad yn dod o hyd i ddilledyn, i rwbath i'w fwyta, i ryw declyn oedd i fod i esmwytho bywyd hen berson. Un Dolig, mi bechodd Bigw yn ofnadwy. Dyna lle roedd hi yn ei chadair ar Ddiwrnod Dolig a llond ei harffed o bresantau – pawb wedi cofio prynu rhywbeth iddi ac wedi ei bacio'n ddel. Mi wrthododd Bigw agor yr un ohonynt. Doedd hi'n methu prynu presantau i neb ac roedd hi wedi gofyn i bawb arall beidio â phrynu un iddi hi. 'Ond waeth i chi eu hagor nhw nawr bod chi wedi eu cael,' meddai pawb. Na, doedd Bigw ddim am agor yr un.

Mi aeth y peth yn embaras mawr, yn fwy fyth felly gan mai Diwrnod Dolig oedd hi a phawb i fod yn glên ac yn llawn cariad at ei gilydd. Yn wyneb styfnigrwydd Bigw, helpodd Mam ac eraill hi i agor y presantau gan ddweud 'Ŵ!' ac 'Â!' a'r synau priodol wrth agor pob un. Ni ddywedodd Bigw yr un gair. Cadwodd ei wyneb yn hollol ddifynegiant, a gwrthododd edrych ar yr un o'r presantau. Syllodd ar bawb yn oeraidd iawn fel tase nhw i gyd wedi ei bradychu. Hi oedd yr unig un onest. Gwyddai pawb fod y rhan fwyaf o'r presantau yn gwbl ddiwerth a'u bod wedi cael eu rhoi dim ond oherwydd arferiad, ond roedd pawb arall yn actio Dolig. Yn y diwedd, caeodd Bigw ei llygaid a rhoi ei phen yn ôl ar y gadair. Byddai ganddi'r arferiad o ddisgyn i gysgu gyda'i dwylo oer ynghlwm wrth ei gilydd mewn ystum gweddi. Wrth edrych arni felly, teimlwn ei bod yn eiriol dros bob un ohonom am ein ffolineb.

the food for sheets and dirty clothes, and by the following week, they'd all have been washed and ironed to perfection.

No one gave much thought to Mam's trips to Carneddau. We just considered them one of those things Mam liked to do, but thinking back, you need a big heart to look after an old person like that. When Bigw fell ill, Mam didn't think twice about bringing her home to our house, and one of the great regrets of her life was that she hadn't been able to keep her with us. She never forgave herself for letting Bigw go into a home. And once she was there, Mam visited her just as regularly. Every Thursday afternoon for three years, off Mam went with the grapes and the sweets and some biscuits in her basket.

Every Christmas or birthday, Mam's great concern would be what to get Bigw. Bigw never appreciated it, but she didn't know how much effort Mam put into it. There's nothing much you need when you're ninety-something, but Mam would always find an article of clothing, something to eat, some gadget meant to make an old woman's life easier. One Christmas, Bigw really upset the applecart. There she was in her chair on Christmas day, with a lapful of presents – everyone had remembered to buy her something and had packed it prettily. Bigw refused to open a single present. She couldn't buy anyone a present herself, and she'd asked everyone else not to buy her one. 'But you might as well open them now you've got them,' said everyone. No, Bigw didn't want to open a single one.

The whole thing became deeply embarrassing, more so because it was Christmas day and everyone was being kind and loving towards each other. Faced with Bigw's stubbornness, Mam and others helped her open the presents, saying 'Ooh!' and 'Ah!' and making the appropriate noises when she opened each one. Bigw didn't say a word. Se kept her face quite expressionless, refusing to look at a single present. She stared at everyone most coldly, as if they had all betrayed her. She was the only honest one. Everyone knew that most of the presents were completely useless and had been given out of custom, but everyone else was acting Christmas. In the end, Bigw closed her eyes and put her head back on the chair. She had this habit of falling asleep with her cold hands together in a prayer-like gesture. Looking at her then, I felt she was interceding for each of us in our folly. Each of us had given a gift, had felt kind. She hadn't been able to give anything and she felt

Roedd pob un ohonom ni wedi rhoi ac yn teimlo'n garedig, doedd hi ddim wedi gallu rhoi dim byd ac roedd yn teimlo'n ofnadwy. Fedrwn i ddim peidio ag edmygu ei hannibyniaeth. Doedd o ddim yn beth hawdd i'w wneud ar aelwyd y rhai a'i croesawodd. Ond roedd hi'n wers bwysig inni gyd – fod gan bawb ei falchder, waeth pa mor hen a diwerth yw.

*   *   *

Ddaru mi ddim meddwl mewn gwirionedd beth oeddwn i'n ei wneud. Roedd gen i ddiwrnod rhydd ac yn teimlo'n glên ac mi es i weld Bigw.

'Lle ydach chi isio mynd?' gofynnais, a dyma hi'n deud.

Ddaru mi ddim aros i ystyried o gwbl, dim ond mynd. Ddaru mi ddim ystyried pam nad oedd neb arall wedi mynd â hi, dim ond gwrando arni ac i ffwrdd â ni. Dim ond wedi i mi gyrraedd y sylweddolais i dasg mor amhosib oedd hi.

Stopiais y car wrth y giât a diffodd yr injan.

'Dyma ni.'

'Ydan ni wedi cyrraedd?' gofynnodd efo syndod yn ei llais fel tasa hi ddim wedi disgwyl cyrraedd.

Estynnais y pulpud o fwt y car, a'i osod wrth ei drws, a cheisio ei chael hi allan. Sylweddolais nad oeddwn i wedi gorfod gwneud hyn ar fy mhen fy hun o'r blaen. Mewn gwirionedd, roedd yn rhaid cael dau berson i'w chael hi i mewn ac allan o gar. Es yr ochr arall i sedd y gyrrwr i geisio ei chodi. Roedd angen craen i wneud y gwaith. Ar ôl tynnu a halio am amser maith, dyma lwyddo i'w chael hi allan o'r car. Doedden ni ond megis dechrau. Cymrodd ei chamau cyntaf, roedd yn union fel gwylio dyn ar drapîs. Fel roedden ni yn mynd at y giât, dyma hi'n deud,

'Y blodau.'

Roeddwn i wedi eu hanghofio eto. Ar sedd gefn y car, edrychai'r blodau yn go druenus erbyn hyn. Roedden nhw'n gynnes yng ngwres yr haul ac roedden nhw wedi mynd yn swrth i gyd. Wrth ddal y blodau, dim ond un law oedd gen i'n rhydd i afael yn Bigw.

Gwichiodd y giat, ac wrth i mi ei hagor, daeth yr hen, hen ofn yn ei ôl. Wedi'r holl flynyddoedd, roedd yn dal yno. Roedd o fel petawn i'n agor giât i ofnau cudd y dychymyg ac roeddent yn llifo tuag ataf. Dychwelodd yr arswyd a deimlais fel plentyn wrth eistedd yn y car tu allan i'r giatiau hyn. Fyddai Mam byth yn

182

terrible. I couldn't but admire her independence. It wasn't an easy thing to do in a house which had welcomed her. But it was an important lesson for us all: that every one has her pride, however old and useless she may be.

*　　*　　*

I didn't really think what I was doing. I had a day off, I was feeling sociable and kind. I went to see Bigw.

'Where would you like to go?' I asked, and she told me.

I didn't stop to think at all, just went. I didn't wonder why no one else had taken her, I just listened to her and off we went. It was only after we'd arrived that I realised what an impossible task it was.

I stopped the car by the gate and turned off the engine.

'Here we are.'

'Are we there?' she asked with such surprise in her voice, as if she hadn't expected to get there.

I got the walking frame out of the boot of the car, and put it by her door, and tried to get her out. I realised that I hadn't had to do this by myself before. It really needed two people to get her in and out of a car. I went to the other side, to the driver's seat, to try to get her up. It needed a crane. After pulling and hauling for ages I managed to get her out of the car. But we'd only just started. She took her first steps. It was exactly like watching a man on a trapeze. As we went towards the gate, she said,

'The flowers.'

I'd forgotten them again. On the back seat of the car, the flowers looked rather pitiful by now. They'd been warmed by the sun and had gone all floppy. When I was holding the flowers I only had one hand free to hold on to Bigw.

The gate squeaked, and as I opened it, the old, old fear came back. After all those years, it was still there. It was as if I was opening a gate to the hidden fears of my imagination and they were flowing towards me. The fear I had felt when I sat as a child outside these gates returned. Mam would never say when she was going there, but flowers in a bucket in the car were not a good sign. We were left by ourselves in the car for a long time, longing for her

183

dweud pan oedd yn mynd yno, ond roedd blodau mewn bwced yn y car yn arwydd drwg. Caem ein gadael yn y car am amser hir yn gwaredu iddi ddychwelyd. Pam, pam oedd hi'n ei wneud o? Dychwelai i'r car a'i llygaid yn goch, a doedd dim yn y byd y gallwn ei wneud i'w chysuro.

Roedd o i gyd yn dod yn ôl i mi.

*   *   *

'Dowch i ganu i Taid,' meddai Mam, a theimlwn yn flin fy mod yn cael fy nhynnu oddi wrth fy nheganau. Yna, cywilyddiwn gan gofio fod Taid yn sâl iawn.

Roedd yr awyrgylch yn llofft Taid yn drwm gan salwch, gallech ei arogli wrth fynd i mewn. Roedd y lle yn fwll gyda gwres tân trydan, ac roedd peth wmbreth o dabledi a ballu wrth ochr y gwely. Roedd y llenni wedi hanner eu cau, ac roedd pawb yn ddistaw, ddistaw. Ar y gobennydd, gorffwysai pen cadarn Taid a edrychai mor wahanol yn ei byjamas ac heb ei sbectol. Ceisiodd wenu ond roedd hynny'n amlwg yn ymdrech. Wedyn, efo Nain yn eistedd ar un ochr i'r gwely, a Mam ar yr ochr arall, roedd yn rhaid inni ganu. Doedd dim posib i ni fel plant ddeall y swyn a'r diniweidrwydd oedd yn ein cân, y cyfan yr oeddwn i'n ymwybodol ohono oedd ei bod yn gân ddychrynllyd o ddigalon a'i bod yn gwneud i bawb grio. Er gwaethaf hynny, roedd fel petai'n cael effaith syfrdanol ar y tri o'n blaenau ac yn esmwytho pawb. Mor falch oeddem ni o gael dianc o'r llofft ryfedd honno, oddi wrth ddirgelwch estron pobl mewn oed, a mynd ymlaen â'n chwarae.

Y peth nesaf a wyddwn oedd nad oedd Taid yn y llofft mwyach a'i fod wedi mynd am byth. Fynwent Fron oedd y lle a gysylltid ag o bellach. Pan fu farw Nain, i fanno yr aeth hithau hefyd, a doedden ni ddim yn mynd i dŷ Taid a Nain ar ôl hynny, dim ond i Fynwent Fron. Roedd yn braf meddwl amdanynt gyda'i gilydd eto ac yn ôl efo'r babi bach a gollodd Nain, ond roedd o'n drist meddwl na chaem eu gweld byth mwy.

*   *   *

A dyma fi wedi dod yma – yn ferch mewn oed wedi rhoi heibio bethau plentynnaidd; yn gwybod yn iawn pam y deuthum yma a beth oedd diben yr ymweliad. Eto, gyda gwich y giât honno, doedd gen i ddim llai nag ofn mynd yn fy 'mlaen.

184

to come back. Why, why did she do it? She came back to the car with her eyes all red, and there was nothing in the world I could do to comfort her.

It was all coming back to me.

* * *

'Come and sing for Taid,' said Mam, and I felt cross that I was being taken away from my toys. Then I felt ashamed when I remembered that Taid was very ill.

The atmosphere in Taid's bedroom was heavy with sickness, you could smell it as you went in. The room was close in the heat of the electric fire, and there were loads of tablets and things by the side of the bed. The curtains were half closed, and everyone was very, very quiet. Taid rested his strong head on the pillow. He looked so different in his pyjamas, without his glasses. He tried to smile but it was obviously an effort. Then, with Nain sitting one side of the bed, and Mam the other side, we had to sing. We children couldn't understand the magic and the innocence in our song, all I knew was that it was a terribly sad song and made everyone cry. Despite this, it seemed to have a startling effect on them, making everyone feel better. We were so glad to escape from that strange room, from the mystery of grown ups, and carry on playing.

The next thing we knew was that Taid wasn't in the room any more. He'd gone for ever. Fron Cemetery was where he lived now. When Nain died, that's where she went, too, and we didn't go to Taid and Nain's house after that, only to Fron Cemetery. It was good to think of them together again, along with the little baby Nain had lost, but it was sad to think we wouldn't ever see them again.

* * *

And now here I am – a grown woman who's put away childish things; knowing perfectly well why I came here and what the point of the visit is. And yet, with the creaking of that gate I was still scared of going on.

Bob un o'r troeon eraill y bum i yma, roedd hi wedi bwrw glaw, neu yn stormus iawn. Ond heddiw, roedd yr haul yn tywynnu yn annaturiol o lachar a hithau'n ganol Mehefin. Aethom yn ein blaenau ar hyd y llwybr ac arhosodd Bigw i gael ei gwynt ati. Dydw i ddim yn cofio'r un daith mor hir a honno i lawr llwybr y fynwent. Tua'r trydydd tro i Bigw aros, caeodd ei llygaid a phlygu ei phen. Da chi, peidiwch â llewygu, Bigw. Daeth rhyw arswyd drosof wrth feddwl ei bod ar fin cael trawiad a sylweddoli mai dim ond y fi oedd wrth law. Melltithiais fy hun am wneud rhywbeth mor wirion, ond doedd dim oll y medrwn i ei wneud, dim ond gofyn, 'Ydach chi'n iawn, Bigw?' drosodd a throsodd nes y clywodd hi fi.

Doedd dim byd mawr yn bod, dim ond ei bod hi'n andros o boeth ac roedd yn rhaid i Bigw gael seibiant bob rhyw ddeg cam. Dylai hi fod wedi cael cadair i eistedd arni, ond tase gen i gadair efo mi yn ogystal â'r blodau, fydde gen i'r un llaw i helpu Bigw. Mi ddylen nhw gael cadeiriau wrth law mewn mynwent beth bynnag, maen nhw'n gwybod mai hen bobl yw eu cwsmeriaid gorau.

Dyma gyrraedd y groesffordd yn llwybr y fynwent a sylweddolais mai dim ond dipyn dros hanner ffordd oedden ni. Wyddwn i ddim yn hollol ble roedd y bedd ychwaith. Wn i ddim sawl gwaith y dywedais wrthyf fy hun 'mod i'n gwneud peth gwirion eithriadol, ond doedd dim troi'n ôl bellach. Doedd Bigw ddim yn dweud dim byd, roedd hi'n canolbwyntio ei holl egni ar symud ei choesau i gerdded.

Yn y diwedd, gwelais y bedd. Roedd o yn yr ail res o'r llwybr gyda gwrych bach yn ei ymyl, ac o'r diwedd, roedden ni yno. Wrth gamu dros y gwair tuag ato, roedd yn rhaid i Bigw geisio gwasgu ei hun rhwng y beddau a doedd dim lle i'r pulpud. Yn y diwedd, gadewais y pulpud a'r blodau ar y llwybr, a gafael yn Bigw â'm dwy law i'w helpu at y bedd. Bu ond y dim iddi ddisgyn, a gafaelodd yn y garreg fedd i deimlo'n saff. Gadewais hi yno, gan ddal fy ngwynt, tra roeddwn yn nôl y pulpud a'r blodau, a cheisiais gael lle hwylus iddi hi a'r pulpud i edrych ar y bedd. Roeddwn yn falch fod gen i rywbeth i'w wneud gyda'r blodau tra roedd hi'n sefyll yn fanno yn edrych. Roedd y tawelwch yn llethol a dim byd i'w glywed ar wahân i sisial y gwenyn.

'Hwn ydi o?' gofynnodd.

'Ia.'

Edrychodd arno am hir.

'Del ydi'r cerrig bach gwyn 'ma arno 'te?'

Every other time I've been here, it's rained, or been very stormy. But today, the middle of June, the sun was shining unnaturally brightly. We went on along the path and Bigw paused to get her breath back. I don't remember any journey as long as that one down the graveyard path. The third time that Bigw had stopped, she shut her eyes and bent her head. For goodness' sake, don't faint, Bigw. A kind of fear came over me and I thought she might be about to have a stroke, and I was the only one around. I cursed myself for being so stupid, but there was nothing I could do, only ask, 'Are you all right, Bigw?' over and over until she heard me.

There was nothing seriously wrong, it was just that it was terribly hot and Bigw had to stop for a rest every ten steps or so. She should have had a chair to sit on, but if I'd had a chair with me as well as the flowers, I wouldn't have had a hand free to help Bigw. There should be chairs at hand in graveyards anyway. Surely they know their best customers are old people.

We reached the crossroads in the path and realised that we were only just over half way. I wasn't sure exactly where the grave was either. I don't know how many times I told myself that I was doing an incredibly stupid thing, but now there was no turning back. Bigw wasn't saying anything, she was concentrating all her energy on moving her legs.

In the end I saw the grave. It was in the second row with a little hedge near it. At last we were there. As she stepped over the grass towards it, Bigw had to try and squeeze herself between the graves. There was no room for the walking frame. In the end, I left the frame and the flowers on the path, and got hold of Bigw with both hands to help her to the graveside. She very nearly fell, and grabbed hold of the gravestone for support. I left her there, holding my breath as I went to fetch the frame and the flowers, and tried to find a good spot for her, plus frame, to look at the grave. I was glad I had something to do with the flowers while she stood there looking. The hush was deafening and there was nothing to be heard but the murmuring of bees.

'Is this the one?' she asked.

'Yes.'

She looked at it for a long time.

'These little white stones on it are pretty, aren't they?'

'Ia.'

Syllodd arno wedyn tra ceisiwn i roi rhyw siâp ar y blodau yn y pot. Ond roedd y cryfder wedi mynd o'u coesau hwythau hefyd ac roeddynt yn plygu bob sut. Dylwn fod wedi dod â dŵr gyda mi.

'Eleni?'

'Ia?'

'Fedra i weld dim byd sydd ar y garreg.'

A'n helpo. Wedi'r holl ymdrech. Fasa waeth taswn i wedi mynd â hi at y bedd cyntaf a chymryd arnaf mai hwnnw oedd o.

'Fedrwch chi ei ddarllen o i mi?'

'Yma y gorwedd William Rowland Edwards, 1888–1969, a'i annwyl briod, Hanna Eluned, 1890–1977. Gwilym, 1921–1922. "Yn angof ni chânt fod".'

Pam mae pobl yn rhoi pethau mor ddiddychymyg ar gerrig beddau? Edrychaf ar Bigw gan ddisgwyl ymateb. Mae ei hwyneb mor ddifynegiant ag erioed. Arhoswn yn ddistaw uwchben y bedd yn codi'r meirw ohono, yn eu cofleidio, eu cusanu, ailosod eu gwisg, ac yna eu rhoi yn dyner yn ôl yn eu lle. Rydym yn chwarae ag atgofion, yn eu cynnau a'u cyffwrdd, eu tylino a'u taflu, chwalu a'u chwythu.

Wn i ddim am ba hyd i aros yma. Ymhen dipyn, mae Bigw yn edrych arnaf, a gan godi ei haeliau, mae'n arwyddo ei bod yn amser inni fynd. Rydym yn dechrau ar y daith bell, bell yn ôl i'r car.

Mae'r haul wedi gostwng dipyn erbyn hyn, y gwres yn llai llethol, ac mae'n braf teimlo'r awel iach wedi bod yn y car gyhyd. Gam wrth gam, yn araf, araf, awn yn ein blaenau. Rwyf yn ansicr fy ngherddediad, a gafaelaf yn Bigw. Mwya sydyn, dwi'n teimlo cadernid. Mor gryf yw hi! Mor ddewr! Mae ei chamau yn sicr ac yn benderfynol. Sylwaf mai Bigw sy'n fawr bellach a minnau'n ddim wrth ei hymyl. Bigw sy'n gryf ac yn eofn a minnau'n blentyn ofnus. Rhyfeddaf at ei hysbryd sydd wedi goroesi'r blynyddoedd, drwy ryfeloedd a heddwch, galar a llawenydd, trychinebau a buddugoliaethau, gorthrymder a gorfoledd. Teimlaf mor ddychrynllyd o annigonol wrth ei hymyl. Dilynaf hi rhwng y beddau fel cwch sigledig y tu ôl i long fawr. Fe welodd hon y cyfan, a chadwodd ei phen uwchlaw'r dyfroedd. O, am gael gwytnwch ei chymeriad, a'i hysbryd gwâr!

Dos, Bigw, dos. Dyfalbarha heb ddiffygio. Bydd yn wrol, paid â llithro. Paid aros amdanaf, paid edrych yn ôl. Yn hytrach, rhed yr yrfa, dal ati, ac mi ddoi di i ben y daith.

'Yes.'

She gazed at it then while I tried, somehow, to arrange the flowers in the pot. But their stalks had lost their strength too and they fell every which way. I should have brought some water with me.

'Eleni?'

'Yes.'

'I can't see anything on the stone.'

God help us. After all that fuss I might as well have taken her to the first grave and pretended that was the one.

'Can you read it to me?'

'Here lies William Rowland Edwards, 1888–1969, his beloved wife Hanna Eluned, 1890–1977. Gwilym, 1921–1922. "Yn angof ni chânt fod".'

Why do people put such unimaginative stuff on gravestones? I look at Bigw, expecting a response. Her face is as expressionless as ever. We stand silently at the graveside, raising the dead, embracing them, kissing them, tidying their clothes, and then putting them tenderly back in place. We are playing with memories, lighting them, losing them, touching them, tumbling them, breaking them up and blowing them away.

I don't know how long to stay here. In a while, Bigw looks at me and, raising her eyebrows, indicates that it's time to go. We begin the long, long journey back to the car.

The sun is lower by now, the heat less oppressive, and it's good to feel the fresh air after being in the car for so long. Step by step, very, very slowly, we go. My steps are unsure, and I hold on to Bigw. All of a sudden, I feel strength. How strong she is! How brave! Her steps are sure and determined. I notice that now it's Bigw who's big, while I am nothing beside her. It's Bigw who's strong and daring and I am a frightened child. I wonder at her spirit, the spirit that's survived the years, through war and peace, sorrow and joy, victory and disaster, oppression and celebration. I feel so terribly inadequate by her side. I follow her between the graves like a rocky boat in the wake of a great ship. This woman has seen everything, and has kept her head above the water. Oh, for her strength of character, her refined spirit!

Go, Bigw, go. Persevere and don't falter. Be strong, don't stumble. Don't wait for me, and don't look back. Run the race, don't give up, and carry on. You'll come to the journey's end.

Barn y Beirniaid

Drannoeth yr Eisteddfod Genedlaethol bob blwyddyn, nid y cyfansoddiadau yn unig sydd o dan y chwyddwydr torfol. Mae beirniadu ar y beirniaid hefyd. Ac yn yr ysbryd hwn o ddemocratiaeth barn lenyddol, mae'n werth mynd nôl at dri beirniad y Fedal Ryddiaith ym Mro Delyn ym 1991 ac at eu barn ar y nofel fuddugol, *Si Hei Lwli*. Dyma ddetholiad o'u sylwadau hwy allan o gyfrol y Cyfansoddiadau a'r Beirniadaethau y flwyddyn honno:

Mae'r stori'n gafael ac yn grafog o real fel portread o fywyd hen bobl ac o'u perthynas chwerw-felys â'u tylwyth. Hyd yn oed ar y darlleniad cyntaf, teimlais fod rhywbeth campus yn yr arddull a'r syniadau a bod undod artistig anarferol iawn yn y llyfr.

Prys Morgan

Cyffyrddir â dirgelwch byw a bod yn y nofel hon a hynny gyda rhyw rymuster ysgytwol. Nid diddanwch oriau hamdden sydd yma ond portread o fywyd fel gwae anesgor.

John Rowlands

Yr hyn sy'n gwneud y gwaith hwn mor eithriadol ydy'r plethu crefftus rhwng y cenedlaethau, y fflachiadau yn ôl i'r gorffennol sydd, wedi i ni ddarllen ymlaen sbel, yn taro cysgod neu'n goleuo'r presennol hefyd . . . Dyma un o'r ymdriniaethau gorau yr wyf erioed wedi'i weld na'i ddarllen o henaint.

Meg Elis

The Critics' Acclaim

In the aftermath of the National Eisteddfod every year, it isn't only the compositions that are placed under the collective microscope. The judges themselves become the judged. And in this spirit of democratic literary opinion, it is worth revisiting the adjudication of the Prose Medal competition at Bro Delyn in 1991 and the respective views of the three judges on the winning novel, *Si Hei Lwli*. Here is a selection of their comments as they appeared in the volume of Compositions and Adjudications that year.

This is a gripping story, sharply realistic in its portrayal of the lives of the elderly and of their bittersweet relationships with their kith and kin. Even on reading it the first time, I felt that there was something splendid in its style and ideas, and that the book possessed an extraordinary artistic integrity.

Prys Morgan

In this novel, the mystery of everyday life is evoked with startling power. This is not leisure-time entertainment, but rather a portrayal of life as inevitable woe.

John Rowlands

What makes this work exceptional is the skilful interweaving of the generations, the flashbacks to the past that, after we have read on a while, cast shadows or shed light on the present-day . . . This is one of the best discussions of old age that I have ever seen or read.

Meg Elis

t r o s i a d a u ➤ **t r a n s l a t i o n s**

Hen Dŷ Ffarm / The Old Farmhouse

D. J. WILLIAMS   Translated by Waldo Williams

'This is undeniably a work of great vividness and charm which deserves to be known to a wider public' Times Literary Supplement

Adargraffiad o un o glasuron hunangofiannol yr ugeinfed ganrif yw hwn. Yn *Hen Dŷ Ffarm*, drwy gymorth cof hen deulu a gysylltwyd â'r un filltir sgwâr ers cenedlaethau a chanrifoedd, cawn gip personol ar ambell agwedd ar fywyd Cymru Fu.

With an introduction by Jim Perrin / Gyda rhagarweiniad gan Jim Perrin

ISBN 1 84323 032 1   £12.95

Triptych

R. GERALLT JONES

Spare, yet moving, this novella remains as fresh and modern as when it was first written in Welsh in 1977, the year in which it was awarded the National Eisteddfod's prestigious Prose Medal.

Bydd y nofel fer gynnil, ddiaddurn ond dirdynnol hon yn sicr o apelio at gynulleidfa eang.

With an introduction by Jerry Hunter / Gyda rhagarweiniad gan Jerry Hunter

1 85902 991 4   £7.50

Ffiniau / Borders

ELIN AP HYWEL & GRAHAME DAVIES

Love, mortality, myth, culture and identity – the poems in *Ffiniau/Borders* encompass a range of imaginative mindscapes, from thoughtful yet humorous portraits of women in Welsh mythology, to satirical reflections on the new Welsh-speaking bourgeoisie of Cardiff.

Cariad, marwoldeb, myth, diwylliant a hunaniaeth – mae'r cerddi yn *Ffiniau/Borders* yn cwmpasu amrediad o feddyliau dychmygol, o bortreadau meddylgar ond eto ysmala o fenywod ym mytholeg Cymru, i feddyliau dychanol ar *bourgeoisie* Gymraeg newydd Caerdydd.

With a foreword by Bryan Martin Davies / Gyda rhagair gan Bryan Martin Davies

ISBN 1 84323 078 X   £7.95